RAINER M. SCHRÖDER

Kommissar Klicker
Unternehmen Bratpfanne

ILLUSTRIERT VON ERICH HÖLLE

Schneider-Buch

Deckelbild und Illustration: Erich Hölle
Redaktion: Susanne Bestmann
Bestellnummer: 8063
© 1980 Franz Schneider Verlag GmbH & Co. KG
München – Wien
ISBN: 3 505 08063 2
Alle Rechte der weiteren Verwertung liegen beim Verlag,
der sie gern vermittelt.

INHALT

Die Hauptpersonen

Adi Ehrlich, genannt Adi der Trickser,
kennt sich aus im Gaunergeschäft. Er kennt wirklich jeden Trick. Darum ist er der Boß. Auch beim Unternehmen Bratpfanne.

Carlo Canaletti, genannt Fassaden-Carlo,
ist absolut schwindelfrei und der geborene Optimist. Er wollte ein berühmter Bergsteiger werden und wurde ein berüchtigter Fassadenkletterer mit äußerst geschickten Fingern.

Tino Tran, genannt Tino das Pferd,
trägt Lupen auf den Augen, stellt hervorragende Blüten her und ist allergisch gegen Blumen.

Bodo Brocken, genannt Bodo der Bomber,
besitzt Bärenkräfte und kann keiner Fliege etwas zuleide tun.

Fred Pfanne, genannt Blacky,
ist ein stadtbekannter Hehler mit einer Vorliebe für schwarze Kleidung und dumme Sprüche.

Heiner von Hohenschlaufe, genannt der Baron,
tritt stets elegant gekleidet auf. Er besitzt ausgezeichnete Manieren, beherrscht den vornehmen Plauderton und haßt schmutzige, körperliche Arbeit.

Kommissar Nagel, genannt Kommissar Klicker,
weil sein Glatzkopf wie eine Kugel leuchtet, sieht zwar verträumt aus, besitzt aber einen glasklaren Verstand und einen untrüglichen Instinkt für dunkle Geschäfte.

Unternehmen Kassensturz

Der Stollen war knapp anderthalb Meter breit und so niedrig, daß man den Kopf einziehen mußte. Nichts für Leute mit Platzangst. Von einem wuchtigen Querbalken hing eine batteriebetriebene Sturmlaterne und warf ihren grellen Lichtkegel auf die Wand aus festem, steinigem Erdreich. Ein nervtötendes Knattern erfüllte den Stollen. Es rührte von dem Generator her, der die Lufterneuerungsanlage antrieb. Dennoch war die Luft stickig und staubdurchsetzt.

Fluchend rammte Tino den Spaten in das Erdreich und ließ ihn dort stecken. Als er sich umdrehte, beleuchtete die Sturmlaterne sein schweißüberströmtes Gesicht. Die runden Gläser seiner Nickelbrille waren beschlagen. Eine blutige Schramme zog sich quer über seine hohe Stirn. Erschöpft ließ er sich auf eine Lattenkiste fallen, die bis oben hin mit Sand und Steinen gefüllt war.

„Zum Teufel, das ist ja die reinste Sklavenarbeit!" stöhnte der Ganove, der wegen seiner auffallend hervorstehenden Zähne auch „Tino das Pferd" genannt wurde. Mit einem ehemals weißen Taschentuch wischte er sich über das Gesicht.

„Sklavenarbeit?" wiederholte Carlo Canaletti spöttisch. „Habe noch nie gehört, daß Sklaven einen Stollen gegraben haben, um eine Bank auszurauben." Carlo Canaletti war bisher damit beschäftigt gewesen, die Kisten mit Sand zu füllen. Er lehnte sich auf das Griffstück seiner Schaufel und schien für diese Atempause recht dankbar.

„Manchmal habe ich das höchst unangenehme Gefühl, als würden wir es nie bis zum Tresorraum der Bank schaffen", seufzte Tino das Pferd. „Wir graben und graben. Und was haben wir davon? Nichts als Dreck und zerschundene Knochen!"

„Rede doch keinen Unsinn!" rief eine energische Stimme hinter Carlo und Tino.

Die beiden Ganoven drehten sich um und spähten den dunklen Gang hinunter.

„Der Boß", knurrte Tino nicht gerade freundlich.

Adolf Ehrlich, der bei Freunden und Feinden nur unter dem Namen Adi der Trickser bekannt war, kam zu ihnen. Er zog eine leere Kiste hinter sich her.

Der gedrungene Mann mit den buschigen Augenbrauen und den klaren, wachsamen Augen hieß nicht zu Unrecht Adi der Trickser. Adi war in der Ganoven-Branche eine Respektsperson. Ein Mann, der immer etwas Besonderes austüftelte. Wenn Adi der Trickser einen Coup in Angriff nahm, dann hatte das Unternehmen auch Hand und Fuß. Ihm fiel stets etwas Neues ein. Er kannte einfach jeden Trick. Adi der Trickser wußte seinen Grips zu gebrauchen – und deshalb war er auch der Boß.

Unter der Sturmlaterne blieb er stehen. „Wer hat denn was

von einem Mittagsschlaf gesagt?" fragte er scharf.

„Atemholen wird man ja wohl noch können", muffelte Tino Tran.

Adi schüttelte den Kopf. „Den Tresor der Bank möchtest du ausräumen, nicht wahr? Aber einen Tunnel graben, das ist dir zu lästig. Du bist mir eine Type, Tino!"

Tino das Pferd rutschte unruhig auf der Kiste hin und her. Er blinzelte in das grelle Licht der Laterne. „Hör mal, mir fallen gleich die Arme ab", beklagte er sich und spuckte einen kleinen Kieselstein aus.

„Wir müssen alle schuften", erwiderte Adi.

„Ich fühl mich fast schon wie ein Maulwurf." Tino rückte seine Brille zurecht. „Seit einer Ewigkeit buddeln wir uns nun schon durch das Erdreich."

Adi der Trickser lachte. „Das mit der Ewigkeit ist ein bißchen übertrieben, Tino! Wir sind noch keine drei Tage hier unten."

Tino verdrehte die Augen. „Keine drei Tage! Als ob das nichts ist!"

Carlo Canaletti kratzte sich am Hinterkopf, ein Zeichen, daß er angestrengt überlegte. „Wenn wir nur wüßten, ob wir mit dem Tunnel auch richtig liegen."

Adi zog die Augenbrauen hoch. „Warum sollten wir nicht?"

„Ich meine, es könnte doch sein, daß wir am Tresorraum der Bank vorbeibuddeln", gab Carlo zu bedenken. Ein eiskalter Schauer lief ihm bei dem Gedanken den Rücken hinunter.

Adi der Trickser stieß einen Seufzer aus und blickte von einem zum andern. „Daß ihr immer Zweifel haben müßt. Habe ich schon jemals ein Ding in den Sand gesetzt?"

„Das nicht", beeilte sich Carlo zu sagen. „Aber diesmal kommen wir ja von unten, und da..." Er machte eine vage Handbewegung.

„Okay. Wir legen eine Pause ein. He, Bodo! Komm mal her!" rief Adi in den dunklen Gang.

„Okay, Boß!" antwortete eine kräftige Stimme.

Irgend etwas schepperte im Stollen, ein unterdrückter Fluch ertönte – und dann tauchte Bodo Brocken auf, ein wandelnder Kleiderschrank von einem Mann. Er hatte sich den Kopf an einem Stützbalken gestoßen.

„So ein Mist", brummte er mißmutig und rieb sich die Beule. „Warum konnten wir den Stollen nicht etwas höher anlegen?"

„Weil wir dann nie mit der Arbeit am ‚Unternehmen Kassensturz' fertig geworden wären", antwortete Adi.

Bodo runzelte die Stirn, überlegte einen Augenblick und lächelte dann über das breite, sympathische Gesicht. Der Groschen war gefallen.

„Das stimmt natürlich", sagte er.

Bodo Brocken war früher einmal Boxer gewesen. Schwergewicht. Seine Karriere war jedoch genauso schnell beendet gewesen, wie sie begonnen hatte. Sein Manager hatte nämlich schnell erkannt, daß Bodo keiner Fliege etwas zuleide tun konnte. Nur wenn er sehr gereizt wurde oder aber einer seiner Freunde Hilfe brauchte, legte Bodo der Bomber los. Dann aber blieb kein Auge trocken und kein Stuhl heil. Wo Bodo, der Bär mit dem superkurzen Meckischnitt, hinlangte, wuchs kein Gras mehr.

Sein einziger Fehler war nur, daß er nicht gerade der hellste Kopf war. Er brauchte Zeit, um etwas zu begreifen. Man mußte ihm stets alles zweimal sagen, bevor er etwas kapierte. Aber dann konnte man sich auch hundertprozentig auf ihn verlassen.

„Los, setzt euch und macht es euch für ein paar Minuten bequem", kommandierte Adi der Trickser mit freundlichem Unterton. Er gab sich härter als er in Wirklichkeit war. Aber Disziplin mußte bei solch einem Coup sein. Außerdem waren sie wirklich ein bunt zusammengewürfelter Haufen. Jeder von ihnen besaß in der Unterwelt einen berühmt-berüchtigten Namen und war ein Meister seines Faches.

Tino Tran zum Beispiel ähnelte äußerlich einem gewissenhaften Buchhalter, dem schon bei einem Fehlbetrag von wenigen Pfennigen in der Kasse der Schweiß ausbricht. Obwohl Tino bei bester Gesundheit war, sah er meist bleich, fast krank aus. Wenn es jedoch darum ging, Banknoten und andere Dokumente zu fälschen, dann begannen seine Augen zu glänzen, und es kam Leben in ihn. Als Fälscher war Tino kaum zu schlagen. Sein Falschgeld fand stets reißenden Absatz.

Und Carlo Canaletti? Nun, dieser bohnenstangenlange und handtuchschmale Bursche trug den Spitznamen „Fassaden-Carlo". In Einbrecherkreisen erzählte man sich wahre Wunderdinge von ihm. Spiegelglatte Hausfassaden ohne jeglichen Vorsprung waren für Fassaden-Carlo nichts Unüberwindliches. Schon als Kind träumte er davon, einmal ein berühmter Bergsteiger zu werden. Dieser Traum hatte sich zwar nicht erfüllt, er hatte es aber immerhin zum berühmt-berüchtigten Fassadenkletterer gebracht. Und wenn man die Maßstäbe der Ganoven ansetzte, hatte er im wahrsten Sinne des Wortes eine steile Karriere gemacht.

Das waren also die Männer, mit denen Adi der Trickser die Bank von Steinenbrück knacken wollte. Er räusperte sich. „Hört mal zu, Jungs", begann er. „Wir graben hier nicht wild drauflos, sondern nach einem exakten Plan, der mich wochenlanges Kopfzerbrechen gekostet hat."

Adi zog einen schon reichlich zerknitterten und mit Schmutzflecken übersäten Plan aus der Tasche seines Overalls und glättete ihn auf seinen Knien. Tino Tran drehte die Leuchte über ihnen so, daß der Lichtkegel nun genau auf die Skizze fiel. Die drei Ganoven drängten sich um ihren Anführer und starrten fasziniert auf den Plan. Dabei hatten sie ihn schon unzählige Male studiert. Aber auf der Skizze sah alles so einfach aus – und das gab irgendwie wieder Mut.

„Hier ist der alte Lagerplatz mit dem Schuppen", erklärte Adi noch einmal. „Wie ihr ja wohl wißt, liegt der Schuppen gegenüber vom Hinterausgang der Bank. Hier haben wir am Freitag nachmittag mit dem Buddeln angefangen."

Bodo nickte. Das kapierte er alles.

„Zwischen dem Schuppen und der Bank liegt die schmale Kröhnergasse. Wie breit ist die Gasse, Tino?" fragte Adi.

„Siebeneinhalb Meter mit Bürgersteig!" kam die Antwort wie aus der Pistole geschossen.

Adi nickte. „Richtig. Diese siebeneinhalb Meter liegen jetzt schon hinter uns." Er holte einen Kompaß hervor und wartete, bis die Nadel sich eingependelt hatte. „Und wir sind genau auf Kurs, Freunde. Der Tunnel weist exakt in südöstliche Richtung. In zwei, spätestens drei Stunden müßten wir auf die Reste der Bunkeranlage stoßen."

Durch einen glücklichen Zufall hatte Adi der Trickser erfahren, daß die Fundamente der Bank auf den Resten einer Bunkeranlage aus dem Ersten Weltkrieg ruhte. Und einer der Entlüftungsschächte, der den Tresorraum mit Frischluft versorgte, bestand unten aus dem Überbleibsel eines Bunkerschachtes – und war durch keine Alarmanlage gesichert!

„Das klingt ja beruhigend", meinte Fassaden-Carlo. „Ich bin froh, wenn ich wieder richtiges Tageslicht zu sehen kriege. Wenn man daran denkt, daß die da oben in den Straßen Karneval feiern . . ." Er blickte zur rissigen Decke hoch, als könnte er sie mit den Augen durchdringen.

„Wenn wir den Tresorraum leergeräumt haben, feiern wir unseren ganz privaten Karneval", versicherte Adi der Trickser. Diese Karnevalstage mit all ihrem Lärm und Trubel waren äußerst günstig für ihre Aktion „Kassensturz". Niemand würde das Knattern des Generators und das Hämmern der Spitzhacken und Brechstangen hören.

Bodo grinste breit. „Junge, wird das ein Fest!"

Etwas Weiches huschte plötzlich an seinem rechten Bein hoch und hüpfte in die weiten Taschen seines Overalls. Vorsichtig griff Bodo der Bomber in die Tasche – und holte Al Capone hervor.

14

Al Capone, ein kleiner schwarzer Kater mit einem weißen, sternförmigen Fleck zwischen den Ohren, war gerade ein halbes Jahr alt und paßte genau in Bodos riesige Pranke. Der ehemalige erfolglose Boxer hatte den anhänglichen Kater, der ihm vor einigen Wochen zugelaufen war, nach dem gefürchteten amerikanischen Gangsterboß Al Capone benannt.

„Du bist auch froh, wenn wir wieder an der frischen Luft sind, nicht wahr?" Bodo kraulte seinen Liebling. Al Capone miaute zustimmend und leckte sich die linke Pfote. Seine rosa Zunge schien nicht viel größer als ein Streichholzkopf zu sein.

Adi der Trickser erhob sich abrupt und donnerte mit dem Kopf gegen den Deckenbalken. Die Lampe pendelte wild hin und her.

„Es wird wirklich Zeit, daß wir hier herauskommen!" knurrte Adi. Die Beulen, die sie sich hier unten schon eingehandelt hatten, gingen in die Tausende. „Los, an die Arbeit!" rief er mit schmerzverzerrtem Gesicht und fragte sich zum erstenmal, weshalb er keinen bequemeren Beruf ergriffen hatte. „Wir machen weiter, Männer! Das Geld wartet im Tresor auf uns."

Al Capone verschwand in Bodos Tasche. Der Boxer löste Tino Tran ab. Mit nacktem Oberkörper stand er am Ende des Stollens und rammte den Spaten kraftvoll in die Erde. Seine Brust hob und senkte sich gleichmäßig. Diese Arbeit schien ihn überhaupt nicht anzustrengen. Wie eine Maschine schaufelte er die Erde zur Seite.

„Wir werden steinreich sein!" träumte Fassaden-Carlo laut und füllte die Kisten hinter Bodo. „Steinreich, Jungs! Dann haben wir ausgesorgt. Für immer! Kein krummes Ding nach diesem Coup."

Bodo lächelte verzückt und arbeitete wie ein Berseker. In wenigen Stunden würden sie am Ziel ihrer Träume sein und die Bank bis auf den letzten Pfennig ausräumen ...

Ein anonymer Anruf

Noch einmal stieß Bodo der Bomber mit der schweren Brechstange zu. Er legte all seine Kraft in diesen Stoß. Mit voller Wucht donnerte die keilförmige Spitze des Brecheisens zwischen die Mauerritze. Polternd stürzte ein Teil der Mauer ein. Dichte Staubwolken trieben durch den unterirdischen Gang und trübten die Sicht.

Hustend und keuchend wichen die vier Ganoven zurück. Als sich der Staub gelegt hatte, sahen sie die Öffnung in der Mauer. Ein triumphierendes Strahlen zeigte sich auf ihren verdreckten, schweißigen Gesichtern.

„Donnerlittchen!" stieß Fassaden-Carlo kopfschüttelnd hervor. „Wir haben es geschafft, Leute! Wir sind durch! Wir brauchen jetzt bloß noch den Schacht hoch und den Tresor zu knacken. Wir haben es geschafft!"

Bodo der Bomber stützte sich auf die Brechstange und schluckte aufgeregt. Er starrte auf das Loch, das er selbst aus der Wand gebrochen hatte, wie auf eine Fata Morgana. „Dann . . . dann ist jetzt Schluß mit dem Graben?" fragte er und drehte sich zu Adi Ehrlich um.

Adi der Trickser spuckte aus und lächelte zufrieden. „Du hast den vollen Durchblick, Bodo. Mit dem Buddeln ist Schluß. Jetzt wird abgesahnt!"

„Die nächsten zwanzig Jahre werde ich keinen Spaten mehr anfassen, das schwöre ich euch!" Tino das Pferd nahm seine Nickelbrille ab und putzte sie umständlich.

„Worauf warten wir noch?" fragte Fassaden-Carlo ungeduldig. „Steigen wir hoch!"

„Immer mit der Ruhe", dämpfte Adi ihn. „Zuerst einmal vergrößern wir die Öffnung und stützen das Ende des Stollens ab. Ich habe keine Lust, durch einen Erdrutsch von unserem Fluchtweg abgeschnitten und in der Bank eingeschlossen zu werden. Bodo und Tino, ihr stützt die Decke ab."

„In Ordnung", sagten sie wie aus einem Mund.

„Carlo kann indessen das Werkzeug holen, das wir zum Knacken des Tresors brauchen. Den Schweißbrenner holst du zum Schluß, okay?"

Fassaden-Carlo nickte und huschte den Gang hinunter, der jetzt eine Länge von gut vierzehn Meter hatte. Bodo und Tino rammten Stützbalken unter die Decke. Der hagere Tino fluchte lautlos, weil ihm ständig Sand und Steine in den Nacken rieselten.

„Hätte mir nie träumen lassen, daß ich mal meine Meisterprüfung im Stollenbau machen würde", brummte er und verfehlte seinen Daumen mit dem Hammer um Haaresbreite.

Bodo nahm das Gemurmel gar nicht wahr. Er pfiff unmelodisch vor sich hin und nagelte Bretter an die Pfosten. Er merkte überhaupt nicht, daß er Tino mit seinem Gepfeife nur noch nervöser machte.

Endlich war es soweit.

Das Loch war groß genug, um hindurchzuschlüpfen. Adi der Trickser zwängte sich selbstverständlich als erster durch die Öffnung. Er spürte einen kaum merklichen Windzug und schaltete die Taschenlampe an.

Der Entlüftungsschacht war quadratisch. Jede Wand maß zwei Meter. Ein feuchter Geruch wie nach Schimmel stieg dem Ganovenboß in die Nase. Angenehm roch es wahrlich nicht! Adi ließ den Lichtfinger der Taschenlampe an den Wänden entlanggleiten.

Sekunden später hatte er die Steigeisen in der Wand rechts vor ihm entdeckt. Sehr vertrauenerweckend sahen diese Eisenstangen, die aus der Wand ragten, nicht gerade aus. Sie waren über und über mit Rost bedeckt.

Adi rüttelte am untersten Steigeisen. Zu seinem Erstaunen

bewegte es sich keinen Millimeter in der Fassung.

„Okay, dann wollen wir es wagen", murmelte er und hangelte sich hinüber. „Carlo, den Rucksack!" rief er dem Fassadenkletterer zu, der schon neugierig durch die Öffnung in den Schacht lugte. Jeder von ihnen trug einen Rucksack mit den nötigen Werkzeugen. Später würden sie da das Geld hineinstopfen.

Fassaden-Carlo reichte dem Boß den schweren Rucksack und folgte ihm dann auf der Steigeisenleiter. Danach kam Tino. Den Schluß machte Bodo der Bomber.

Tino Tran fühlte sich ganz und gar nicht wohl. Mit verkniffenem Gesichtsausdruck blickte er nach oben. Der Schacht schien immer schmaler zu werden. Und die Finsternis war nicht dazu angetan, ihm die Angst zu nehmen. Drei Tage lebten, nein, hausten sie nun schon unter der Erde. Das zehrte gewaltig an seinen Nerven.

Als Tino Tran daran dachte, daß eines der Steigeisen die Belastung womöglich nicht aushalten könnte, zog sich ihm der Magen zusammen. Er würde in den stockdunklen, jäh abfallenden Abgrund stürzen. Er ächzte gequält.

Fassaden-Carlo dagegen jubilierte innerlich. Er verschwendete keinen Gedanken daran, ob die Eisen sein Gewicht trugen oder nicht. Auf Adi war Verlaß. Außerdem war Carlo mit seinen Gedanken ganz woanders. „Pinkepinke, halte dich bereit – wir kommen!" rief er überschwenglich.

Adi der Trickser verzog nur das Gesicht zu einem breiten Lächeln und stieg höher. Etwa zwei Meter über seinem Kopf entdeckte er plötzlich das Entlüftungsgitter. Noch sieben Steigeisen, und er hatte das Gitter erreicht. Hier mußte es in den Tresorraum gehen!

Adi wollte sich gerade das Stemmeisen von Fassaden-Carlo geben lassen, als er stutzte. Jenseits des Gitters zischte etwas. Und im gleichen Moment flackerte ein Licht auf. Ungläubig starrte Adi auf die kleine Flamme.

Jemand hatte ein Streichholz angesteckt!

Adi der Trickser erstarrte, zu Tode erschrocken.

Das konnte doch nicht sein!

„Das Stemm ...", begann Fassaden-Carlo.

Adi der Trickser drehte sich hastig um und preßte ihm die Hand vor den Mund. „Still!" zischte Adi mit einer Stimme, die ihm selbst fremd war. „Keinen Ton, Leute! Im Tresorraum ist jemand!"

Die nun folgende Stille war erdrückend ...

Vor Schreck wie gelähmt, klammerte sich Tino Tran an das rostige Eisen. Er wagte kaum zu atmen. Und zum x-ten Mal fragte er sich, weshalb er sich nur an diesem schweißtreibenden Coup beteiligt hatte. Mit seinen gefälschten Banknoten und Pässen hatte er doch immer ein gutes Auskommen gehabt ...

Bodo der Bomber blieb als einziger völlig gelassen, was jedoch daher rührte, daß er noch gar nicht gemerkt hatte, daß irgend etwas nicht nach Plan lief. Er wartete geduldig und kraulte Al Capone, der in der weiten Tasche seines blauen Overalls saß.

Fassaden-Carlo starrte fassungslos zum Boß hoch. „Du bist verrückt!" raunte er, als Adi endlich die Hand von seinem Mund nahm. „Heute ist Rosenmontag und Feiertag. Da kann niemand in der Bank sein. Schon gar nicht im Tresorraum!"

„Schnauze!" zischte Adi, kletterte die letzten Eisen hoch und preßte sein Gesicht gegen das dichte Lamellengitter.

„Auch eine Zigarette?" ertönte plötzlich eine tiefe, gelangweilte Stimme. „Es kann noch eine Zeitlang dauern, bis die Burschen auftauchen!"

„Okay, gib her!" erwiderte eine zweite, viel jünger klingende Stimme.

Es gab nicht mehr den geringsten Zweifel!

Zwei Männer befanden sich dort drüben im stockdunklen Tresorraum der Bank! Auch Carlo und Tino hatten die Stimmen nun gehört. Es lief ihnen eiskalt den Rücken hinunter.

„Beim Barte aller Propheten und Hippies!" stieß Fassaden-

Carlo hervor. „Das ist ein Ding der Unmöglichkeit. Sag, daß das nur ein schlechter Traum ist!"

Tino Tran knirschte vor Wut mit den Zähnen und hätte am liebsten laut losgeheult. Drei Tage schwerste Knochenarbeit – für nichts und wieder nichts! Die unzähligen Liter Schweiß, die vielen Beulen und Schrammen und der Sand zwischen den Zähnen. Alles für die Katz!

Bodo Brocken begriff noch immer nicht, daß ihr sorgfältig geplantes Unternehmen „Kassensturz" gescheitert war und sie in größter Gefahr schwebten. Irritiert blickte er nach oben. Noch nicht einmal der blasse Schein von Adis Taschenlampe war zu sehen.

„Was ist denn los?" fragte er unschuldig. „Warum geht ihr nicht weiter?"

„Wir legen gerade eine Gedenkminute für all diejenigen Freunde von uns ein, die dasselbe Pech hatten wie wir", antwortete Fassaden-Carlo bitter.

„Haltet die Klappe, verdammt noch mal!" kam es gedämpft und mit dennoch unüberhörbarer Drohung von Adi zurück. „Wer jetzt nicht den Rand hält, ist reif! Und das für mindestens fünf Jahre! Dann könnt ihr gittergesiebte Luft atmen und morgens im Hof im Gänsemarsch spazierengehen."

Es war sofort totenstill im Schacht.

Tino Tran verfluchte den Tag, an dem er dem Plan zugestimmt hatte. Wenn er doch nur beim Fälschen geblieben wäre! Und wenn er sich an Eskimo-Banknoten versucht hätte, das hätte ihm genausoviel eingebracht wie dieser wahnwitzige Coup. Wahrscheinlich sogar noch mehr, denn jetzt blühte ihnen der Knast!

Adi Ehrlich behielt wie immer die Nerven. Er horchte, was die beiden Männer im Tresorraum miteinander sprachen. Schon nach den ersten Sätzen wußte er, daß er es mit Polizisten zu tun hatte.

„Ich möchte bloß wissen, wie die hier in die Bank einsteigen

„Adi der Trickser kann sogar durch Wände gehen, wenn er es sich in den Kopf gesetzt hat!" tönte die dunkle Stimme durch das Gitter

wollen", sagte der jüngere Beamte. Er lispelte etwas. „Dieser Kasten ist doch an allen Ecken und Kanten mit Alarmanlagen ausgestattet. Den kann doch gar keiner knacken. Das ist einfach unmöglich."

„Nichts ist unmöglich", lautete die Antwort des anderen.

„Wenn das mal kein blinder Alarm ist", sagte der Lispler. „Wir hocken uns vielleicht den Hintern breit, und keiner taucht auf."

Der ältere Polizist lachte grimmig. „Man merkt, daß du noch nicht lange im Dienst bist, Walter. Adi der Trickser kann sogar durch Wände gehen, wenn er es sich in den Kopf gesetzt hat. Der findet immer einen Weg."

Adi Ehrlich schmunzelte in der Dunkelheit. „Danke, Kumpels", murmelte er lautlos. Im nächsten Augenblick zuckte er, zu Tode erschrocken, zusammen, als ihm bewußt wurde, was er soeben gehört hatte. Die Polizisten wußten, daß er, Adi der Trickser, im Anmarsch war?!

Das bedeutete höchste Alarmstufe!

Fassaden-Carlo, der zu Adi hochgeklettert war, hatte das Gespräch zwischen den beiden Polizisten auch mitbekommen. „Mich laust der Affe!" keuchte er geschockt. „Da muß uns irgendein Polypenspitzel verpfiffen haben. Wir müssen sofort von hier verschwinden, Boß!"

„Keine Panik!" beruhigte ihn Adi. „Ich will erst noch erfahren, wieviel die Schnüffler bereits wissen."

Im Tresorraum hustete jemand.

„Und wenn dieser anonyme Anrufer uns einen Streich gespielt hat?" Das war Walters Stimme. „Mann, das ist doch dicke drin. Vielleicht will man uns ganz bewußt auf eine falsche Spur locken. Denn mehr, als daß Adi der Trickser mit ein paar Komplizen die Bank hier hochnehmen will, hat der anonyme Anrufer ja nicht gesagt. Er hat weder die Uhrzeit angegeben, noch die Art und Weise, wie Adi in die Bank gelangen will."

„Uns soll das gleichgültig sein", knurrte der ältere Polizist. „Dienst ist Dienst."

„Ist das ein Argument?" fragte Walter unwillig.

„Für einen Beamten schon. Wir sitzen unsere Zeit ab. Ob wir das nun in der Revierstube oder hier tun, kommt auf dasselbe hinaus. Außerdem habe ich das komische Gefühl, als wäre Adi der Trickser mit seinen schweren Jungs gar nicht mehr so weit."

Adi Ehrlich entrang sich ein gequältes, tonloses Auflachen. Wie recht der Bursche hatte! Keine drei Schritte vom Tresor entfernt mußten sie ihren Coup aufgeben! Welch eine Pleite! Und gefährlich noch dazu . . .

„Frag mal über Sprechfunk, ob die Kollegen oben schon eine Spur von den Ganoven gefunden haben!" forderte Walter seinen Kollegen auf.

„Wenn es dich beruhigt", seufzte der andere und stellte das Walkie-Talkie an. Für einen Augenblick drang nur verzerrtes

Gemurmel und atmosphärisches Geknatter an Adis Ohr. Dann schaltete der ältere Polizist das Gerät wieder ab und sagte gelangweilt zu Walter: „Die Kollegen sind dabei, das Gelände in einem Umkreis von fünfhundert Meter rund um die Bank durchzukämmen und nach verdächtigen Spuren zu suchen."

Walter lachte schadenfroh. „Da haben sie ja ganz schön was zu tun. Da lobe ich mir unseren Sitzjob hier unten. Wenn ich mich nicht irre, rauscht doch jetzt gerade der Rosenmontagszug durch die Straßen. Muß das ein Trubel sein!"

„Ja, und wir hocken in tiefster Finsternis. Na, Adis verdutztes Gesicht wird mich bestimmt dreifach für den verpaßten Karneval entschädigen", freute sich Walters Kollege. „Darauf warte ich schon seit Jahren!"

„Den Gefallen werde ich euch nicht tun", murmelte Adi Ehrlich grimmig und beugte sich zu Fassaden-Carlo hinüber. Er hatte genug gehört. „Zurück in den Stollen!" raunte er ihm zu. „Und gib nach unten durch, daß jeder höllisch aufpassen soll. Das geringste Scheppern, und wir haben die Bullen auf dem Hals! Ich reinige die Steigeisen von unseren Fingerabdrücken."

Fassaden-Carlo grinste gequält. „Du tust ja so, als ob wir noch eine Chance hätten zu entkommen."

„Die haben wir auch. Und jetzt ist Schluß mit dem Gequatsche!" fauchte Adi. Allmählich wurde auch ihm der Boden unter den Füßen zu heiß. Wenn man in diesem Fall von Boden überhaupt noch sprechen konnte. „Gib den anderen Bescheid und steig ab, Carlo!"

Der Fassaden-Kletterer gab den Befehl an Tino Tran weiter, der wie ein verängstigter Klammeraffe an den Steigeisen hing. Der Fälscher stieß Bodo den Bomber an.

„Los, runter! Zurück in den Stollen!" flüsterte er ihm mit zitternder Stimme zu.

Bodo verstand überhaupt nichts mehr. „Wieso? Sind wir falsch hier?"

Tino unterdrückte einen handfesten Fluch. „Mann, wir sind

so falsch, daß wir möglicherweise direkt ins Kittchen marschieren, du Holzkopf!"

Bodo der Bomber schüttelte verwundert den Kopf. „Junge, Junge", murmelte er vor sich hin. „Da müssen wir uns ja ganz schön vergraben haben, wenn wir auf einen Knast gestoßen sind."

Tino Tran knirschte mit den Zähnen, verzichtete jedoch vernünftigerweise auf eine scharfe Erwiderung. Dies war weder der passende Ort noch die richtige Zeit, um Bodo begreiflich zu machen, daß es um ihren Kopf ging.

So schnell, wie unter den gegebenen Umständen möglich, und doch mit äußerster Vorsicht stiegen die vier maßlos enttäuschten Ganoven zum Stolleneingang hinunter. Adi Ehrlich fuhr mit einem Lappen über die Steigeisen.

Er schloß die Augen, als sich Bodo ein wenig zu geräuschvoll durch die schmale Öffnung zwängte. Er lauschte nach oben. Das Gitter schien zum Glück so gut wie alle Geräusche, die aus dem Schacht kamen, zu absorbieren.

Endlich befanden sie sich wieder im selbstgegrabenen Tunnel. Tino Tran und Fassaden-Carlo wollten schon überstürzt flüchten.

Adi hielt sie zurück. „Hiergeblieben!" rief er scharf.

„Mann, Adi, jetzt ist jede Minute kostbar!" protestierte Tino Tran. „Was ist denn jetzt noch?"

„Eine überstürzte Flucht bringt uns nichts", sagte Adi der Trickser mit bewundernswerter Ruhe. „Wir müssen dafür sorgen, daß uns die Greifer nicht auf die Spur kommen. Habt ihr daran gedacht, daß wir hier im Gang überall Fingerabdrücke hinterlassen haben?"

„Ach, du Schreck!" stieß Fassaden-Carlo hervor. „Die Spurensicherung wird sich freuen, wenn wir alles so zurücklassen."

„Du sagst es", stimmte Adi Ehrlich ihm zu. „Die Greifer werden den Tunnel über kurz oder lang entdecken, da brauchen wir uns gar nichts vorzumachen. Und wenn dann nicht jedes

Werkzeugteil blitzblank sauber ist, sind wir geliefert!"

Tino Tran nagte zögernd an seiner Unterlippe. Dann gab er sich einen Ruck. Für vernünftige Argumente hatte er stets ein Ohr. „Der Boß hat recht!" bestätigte er großspurig.

„Natürlich habe ich recht", knurrte Adi Ehrlich. „Also ran an die Arbeit. Wischt alles ab, und laßt nichts aus! Wer jetzt schludert, kann sich auf fünf Jahre Zwangsurlaub im Knast einstellen."

Die Warnung zeigte Wirkung.

Die vier Ganoven wurden zu wahren Putzteufeln. Sie wischten Latten, Eimer, Lampen und Werkzeuge ab, als wollten sie den Stollen zum Funkeln bringen. Dabei bewegten sie sich rückwärts dem Stolleneingang entgegen.

Jeder von ihnen dachte an das Polizeiaufgebot, das oben in der leeren Fabrikhalle schon auf sie warten konnte. Das zerrte gehörig an den Nerven. Der Schweiß rann wieder in Strömen – diesmal der Angstschweiß.

Meter um Meter säuberten sie den unterirdischen Gang von Fingerabdrücken und verräterischen Hinweisen. Adi der Trickser paßte auf, daß auch kein Stück übersehen wurde. Das war ihre einzige Chance, mit nur einem blauen Auge davonzukommen.

Endlich hatten sie das breite Eingangsloch erreicht. Eine Leiter führte nach oben in die Halle. Tageslicht drang ihnen entgegen.

Hastig kletterten sie die Leiter hoch.

„Jetzt nichts wie weg!" stieß Tino Tran hervor und lief auf den blau-weißen Lieferwagen zu, der in der geräumigen, ehemaligen Fabrikhalle direkt vor dem geschlossenen Doppeltor stand. Mit diesem kurzzeitig „ausgeliehenen" Wagen hatten sie vor drei Tagen das notwendige Werkzeug herangeschafft.

„Den Lieferwagen kannst du vergessen", sagte Adi Ehrlich und steckte sich eine Zigarette an, während er angestrengt überlegte.

Tino Tran hatte die Hand schon auf dem Türgriff. Verdutzt drehte er sich zu Adi um. „Was willst du damit sagen? Wir müssen verduften. Worauf warten wir denn jetzt noch?"

Bodo hatte inzwischen die Zusammenhänge begriffen. „Richtig, wir müssen weg", nickte er bekräftigend.

„Aber nicht mit dieser Kiste. Der Wagen ist heiß", wandte Adi ein. „Du hast doch gehört, daß die Polizei die Umgebung schon absucht. Mit der Karre kommen wir doch niemals durch eine Sperre. Wenn die uns in diesen verdreckten Klamotten sehen, holen sie sofort die Handschellen raus. Die nehmen garantiert jeden Wagen unter die Lupe."

„Mist, verdammter!" fluchte Tino Tran und war den Tränen nahe. „Dann sitzen wir hier fest!"

Adi Ehrlich trat die Zigarette aus. „Immer die Ruhe bewahren. Ich peile draußen erst mal die Lage. Notfalls müssen wir uns einzeln verkrümeln. Wartet einen Augenblick. Bin gleich wieder zurück." Er öffnete das Tor einen Spalt und schlüpfte auf den Hof, der von einem hohen Bretterzaun umgeben war. Lautlos schlich er davon.

Die rettende Blumenpyramide

Unruhig ging Tino Tran neben dem gestohlenen Lieferwagen auf und ab. Ein Gefühl der Panik breitete sich allmählich in ihm aus. „Wo bleibt er bloß?" fragte er schon nach zwanzig Sekunden. Er konnte nicht still stehen. „Was ist, wenn Adi sich allein absetzt?"

„Red kein Blech, Tino!" schnaubte Fassaden-Carlo ärgerlich. „Der Boß läßt uns niemals sitzen!"

Nach scheinbar endlosen Minuten tauchte Adi wieder auf. Er grinste zufrieden. „Ich habe etwas entdeckt, Männer. Wir werden den Bullen ein Schnippchen schlagen! Kommt!"

Die Ganoven schlüpften durch die Toröffnung und liefen über den Hof. Direkt neben der Einfahrt stand ein großer, farbenprächtiger Karnevalswagen. Eine eindrucksvolle Pyramide aus lauter Blumen.

„Um Gottes willen, was hast du denn mit diesem Ungetüm vor?" wollte Carlo wissen, als sich Adi auf den Sitz der Zugmaschine schwang.

„Verduften natürlich!" erwiderte der Boß.

Tino Tran rümpfe die Nase. „Blumenduft vertrage ich nicht. Dagegen bin ich allergisch. Ich muß dann ständig niesen und kriege kaum noch Luft. Ich muß sogar um jede Wiese einen großen Bogen schlagen."

„Quatscht keine Opern!" rief Adi ungeduldig. „Wir müssen verschwinden!"

„Worauf warten wir noch?" Bodo der Bomber stieg zu Adi auf den Zugwagen. „Ich mag Blumen . . . und Al Capone auch."

Adi seufzte geplagt, als sich nun alle um die Zugmaschine drängten. „Mein Gott, was seid ihr schwer von Begriff! Vier Männer in dreckigen Overalls in der Fahrerkabine! Auffälliger geht's wohl nicht."

„Aber wo sollen wir dann hin?" erkundigte sich Carlo verwirrt.

Adi der Trickser deutete auf die gewaltige Blumenpyramide. „Glaubt ihr vielleicht, das Ding da ist auch innen mit Orchideen gefüllt? Na los, macht es euch unter dem Gerüst bequem! Und bringt bloß den Anhänger nicht ins Schaukeln, verstanden?"

Tino Tran streckte abwehrend die Hände und blickte Adi flehentlich an. „Adi, das kannst du nicht mit mir machen!" sagte er beschwörend. „Ich bin allergisch . . . Hatschiii . . . Dieser Blumenduft . . . Hatschiii . . . bringt mich um!"

Adi zuckte ungerührt mit den Achseln. „Du kannst mitkommen oder es bleiben lassen, du hast die Wahl." Er fummelte unter dem Lenkrad an den Drähten herum, fand die Zündkabel, und der Motor sprang im nächsten Moment donnernd an.

Tino Tran überlegte fieberhaft. Kalter Angstschweiß stand ihm auf der Stirn . „Ich werde ... Hatschiii ... Höllenqualen leiden!" gab er schließlich klein bei.

„Besser als frei Kost und Logis in der Staatspension", spöttelte Fassaden-Carlo.

Adi lächelte dem Fälscher aufmunternd zu. „So schlimm wird es schon nicht werden. He, ich brauche noch deine Brille! Na, komm schon. Irgendwie muß ich mich ja tarnen. Und dein Gelehrtengestell ist dafür gerade richtig."

„Ohne Brille sehe ich nichts!" protestierte Tino. „Hatschiii!"

Adi nahm ihm die Brille einfach ab. Jetzt mußte gehandelt werden. „Du brauchst nichts zu sehen. Unter der Blumenpyramide ist es sowieso dunkel."

Ehe Tino Tran etwas erwidern konnte, zogen ihn kräftige Hände unter die Pyramide. Er fluchte und nieste. Adi konnte sich ein Grinsen nicht verkneifen. Seine Mannschaft machte ihm Spaß.

Neben dem Fahrersitz entdeckte Adi eine Dose mit Motoröl. Die kam ihm sehr gelegen. Schnell öffnete er die Dose und schmierte sich etwas Öl ins Gesicht und auf den Overall. Dann gab er Gas und setzte Tinos Nickelbrille auf.

Adi hatte das Gefühl, einen Schlag mit dem Hammer auf die Augen zu bekommen. Der Platz verschwamm vor ihm. Er vermochte keine Einzelheiten mehr zu erkennen. Ihm wurde schwindelig.

Für Sekunden war er so gut wie blind. Und dabei rumpelte der Karnevalswagen schon in Richtung Ausfahrt. Beinahe hätte die Fahrt ein jähes Ende genommen. Die Zugmaschine donnerte nämlich zielstrebig auf den Lagerschuppen rechts neben der Ausfahrt zu.

Als Adi Ehrlich die Brille herunterriß, war die Entfernung schon auf wenige Meter zusammengeschrumpft. Im letzten Augenblick schlug er das Lenkrad scharf nach links ein. Haarscharf rasierte die äußere rechte Kante des Blumenwagens am

Schuppen vorbei. Der hohe Aufbau geriet gefährlich ins Wanken.

Adi durchlebte zwei, drei schreckliche Sekunden, dann befand sich das Ungetüm wieder im Gleichgewicht. Erleichtert atmete der Ganovenboß aus und setzte sich die Brille nun so auf, daß er über die Gläser hinwegblicken konnte.

„Fährst du Slalom?" meldete sich Carlo. „Oder sind die Bullen schon hinter uns her?"

„Ich wußte nicht, daß Tino Lupen auf den Augen trägt!" erwiderte Adi. „Und jetzt ist Schluß mit dem Gequatsche . . ."

„Hatschiii!"

„Kümmert euch um Tino!" rief Adi nach hinten. „Ich biege jetzt in die Straße ein. Ihr müßt euch absolut still verhalten, sonst sind wir geliefert!"

Der Karnevalswagen rumpelte über die stille Seitenstraße. Als Adi die nächste Kreuzung erreichte und nach rechts abbiegen wollte, sah er sie . . .

Eine Motorradstreife der Polizei!

Mit aufgeblendeten Scheinwerfern kamen sie ihm entgegen. Adi stöhnte gequält und umklammerte das Steuer der Zugmaschine, als wollte er es in Stücke brechen. „Haltet euch mucksmäuschenstill!" rief er hastig über die Schulter nach hinten.

„Eine Polizeistreife!"

„O Gott, ich spüre schon die Handschellen!" ächzte Fassaden-Carlo. „Dabei kleiden mich die Dinger ganz und gar nicht . . ."

Adi Ehrlich trat auf die Bremse, als die Motorräder mitten auf der Straße gestoppt wurden. Die Polizisten stiegen ab und kamen auf ihn zu . . .

Hatten sie ihn schon erkannt?

„Tag", grüßte der bullige Polizist, der, den Sternen auf seiner Uniform nach zu urteilen, den Rang eines Hauptwachtmeisters bekleidete. „Sie sind ein bißchen spät dran."

„Na ja", sagte Adi vage, weil er nicht wußte, worauf der Hauptwachtmeister hinaus wollte.

„Sie werden den Umzug verpassen, wenn Sie sich nicht ein bißchen beeilen", sagte der zweite Polizist.

Adi der Trickser hatte Mühe, seine Erleichterung zu verbergen. Die Beamten hatten keine Ahnung! Es war also noch nichts verloren. „Ich hatte Ärger mit der Zugmaschine", log der Ganovenboß. „Der Motor wollte nicht anspringen."

„Hübscher Wagen", sagte der Hauptwachtmeister und trat näher an die Blumenpyramide heran. Adi schwitzte Wasser und Blut. Wenn Tino Tran jetzt nieste . . .

„Wäre schade, wenn die Leute ihn nicht zu sehen bekämen",

„Sie werden den Umzug verpassen, wenn sie sich nicht ein bißchen beeilen!" sagte der Polizist freundlich

sagte der andere Polizist. „Muß 'ne Menge Arbeit gewesen sein."

„Kann man wohl sagen", erwiderte Adi heiser.

„Wir bringen Sie zum Karnevalszug und machen Ihnen die Straßen frei, sonst schaffen Sie es nicht mehr. Die Straßen sind von den Schaulustigen völlig verstopft", erklärte der Hauptwachtmeister. Adi versuchte die Polizisten davon abzuhalten, ihm Geleitschutz zu geben. Aber es war vergeblich.

Der Hauptwachtmeister winkte freundlich, aber bestimmt ab. „Wir machen das gern. Sie haben sich sicher sehr auf diesen Tag gefreut!"

„Das können Sie laut sagen", brummte Adi Ehrlich und dachte an den geplatzten Coup.

Die beiden hilfsbereiten Beamten schwangen sich wieder auf ihre Motorräder. Sie stoppten an allen Kreuzungen den Verkehr, um den Blumenwagen durchzulassen. Nach zehn Minuten hatten sie den Karnevalszug erreicht. Adi Ehrlich hängte sich an das Ende des Umzuges und bedankte sich höflich bei den freundlichen Polizisten – mit reichlich gemischten Gefühlen!

Im Schneckentempo kroch der Zug durch Steinenbrück. Immer wieder hielt Adi Ausschau nach einer Möglichkeit, sich absetzen und in eine stille Seitengasse einbiegen zu können. Vergeblich! Alle Straßen waren abgesperrt. Überall Polizeistreifen. Erst nach zwei quälend langen Stunden erreichte der Karnevalszug den Festplatz vor der Stadt. Es gelang Adi, den Blumenwagen neben einem großen Bierzelt zu parken.

Er sprang von der Zugmaschine und lehnte sich gegen die Blumenwand. Nachdem er sich vergewissert hatte, daß ihn niemand beobachtete, informierte er seine Komplizen über die Lage.

Fassaden-Carlo protestierte. „Ich halte es nicht länger aus! Seit zwei Stunden presse ich Tino meine Hände vor Mund und Nase, damit er uns mit seinem Niesen nicht die Bullen auf den Hals hetzt. Du solltest dir mal meine Hände ansehen. Tinos

Pferdegebiß hat mich bis an mein Lebensende gezeichnet."

„Ich besorge uns ein Auto", versprach Adi. „Haltet noch etwas aus. Ich beeile mich."

„Mir gefällt's hier gut", meldete Bodo Brocken gutmütig.

Adi ersparte sich eine Antwort. Er suchte nach einer Telefonzelle. Blacky mußte ihnen helfen. Blacky, ein alter Freund. Sie hatten sich gegenseitig schon mehr als einmal aus der Patsche geholfen. Gegenüber dem Festplatz fand der Ganovenboß eine Zelle und wählte die Nummer des Hehlers. Der gute Blacky kam sofort an den Apparat.

„Wo seid ihr? Auf dem Festplatz?" fragte Blacky verwirrt. „Da müßt ihr euch aber ganz schön vergraben haben!"

„Schwing dich in deinen Kombi und komm her!" drängte Adi. „Tino geht uns sonst an einer Überdosis Blumenduft ein!"

„Ihr macht Sachen. Okay, ich komme", sagte Blacky. Und fügte spöttisch hinzu: „Die Wege des Herrn sind wahrlich rätselhaft."

Adi schluckte eine bissige Bemerkung hinunter. So war Blacky nun mal. Fred Pfanne, wie der rundliche Hehler mit bürgerlichem Namen hieß, war vor vielen Jahren auf einem Seelenverkäufer zur See gefahren. An Bord des Schiffes hatte es als einzige Lektüre nur die Bibel gegeben. Seit jener Zeit wußte Blacky zu jeder Lebenssituation einen passenden – oder unpassenden – Bibelspruch.

Zwanzig Minuten später war Blacky mit seinem Kombi, der nur noch vom Rost zusammengehalten wurde, zur Stelle. Wie immer war er ganz in Schwarz gekleidet. Daher auch der Spitzname Blacky. Den Kampf gegen seinen imposanten Bauch hatte er schon seit langem aufgegeben. Er war ein leidenschaftlicher Esser und hervorragender Koch – und ein As in der Hehlerbranche. Bei ihm bekam man immer einen fairen Preis für „heiße Ware".

„Endlich!" rief Adi Ehrlich erleichtert, als sich Blacky aus dem Fahrersitz wuchtete.

Schneider-Buch

Preisrätsel
400 Bücher zu gewinnen!

Lieber Schneider-Buch-Leser!
Schicke mir diese Karte mit der richtigen Lösung und du nimmst an der nächsten monatlichen Verlosung teil. 400 Schneider-Bücher werden jeden Monat verlost! Es werden nur ausreichend frankierte Rätselkarten angenommen. Benachrichtigt werden nur die Gewinner. Der Rechtsweg ist ausgeschlossen. Die Beteiligung ist nicht an den Kauf eines Schneider-Buches gebunden. Du bekommst die Karte auch lose in deinem Buchgeschäft.

Welches der vier abgebildeten Bücher hat Oliver Hassencamp geschrieben? Kreuze das richtige Buch an!

Viel Spaß und herzliche Grüße! Dein

Franz Schmid

Der Schatten mit den scharfen Krallen

Schneider-Buch ☐

☐ **STAR-SHIP**
PLANET DER BÖSEN TRÄUME
Schneider-Buch

Ein Indianer namens Heinrich

Schneider-Buch ☐

☐ **FLORIAN auf Geisterreise**
Schneider-Buch

Schneider-Buch **Preisrätsel**

400 Bücher zu gewinnen!

Postkarten-Porto

Postkarte

Schneider-Buch

8000 München 100

275/Als Geschmacksmuster geschützt.

Name: _____

Straße: _____

Postleitzahl: _____ Ort: _____

Achtung:

Absender nicht vergessen!
Nur mit Schreibmaschine
oder mit Kugelschreiber in
Blockbuchstaben ausfüllen!

Ich bin _____ Jahre alt.
Ich bin ☐ ein Junge
Ich bin ☐ ein Mädchen

Hier abtrennen

„Jeder Tag hat seine Plage", antwortete der Hehler gelassen.

Adi verzog das Gesicht. „Raub mir bloß nicht den letzten Nerv mit deinen Bibelsprüchen, sondern öffne die Ladeklappe!"

Blacky ließ sich nicht aus der Ruhe bringen. „Alles zu seiner Zeit", sagte er und schloß die Heckklappe des Kombi auf.

„Ihr könnt raus!" rief Adi seinen Freunden zu.

Niesend und mit gerötetem Gesicht kroch Tino unter dem Blumenwagen hervor. „Das war... Haaatschi... Rettung in... Haatschii... letzter Minute!" keuchte er. „Die Hölle... Haatschii... kann nicht schlimmer sein."

„Wen der Herr liebt, den züchtigt er", tröstete Blacky.

Tino murmelte eine Verwünschung und verschwand im Kombi. Fassaden-Carlo kam nun mit schmerzverzerrtem Gesicht aus dem Versteck. Er zeigte Adi seine arg mitgenommenen Hände. Tinos Zähne hatten sichtbare Spuren hinterlassen.

„Ich werde mindestens eine Woche lang keine Fassade mehr hochklettern können!" beklagte er sich.

Nur Bodo der Bomber schien guter Laune zu sein. Er hielt Al Capone in der Armbeuge und roch verzückt an einer Nelke. „Wie sah der Karnevalszug aus?" fragte er interessiert. „Unser Wagen war doch bestimmt einer der schönsten, nicht wahr?"

„Los, rein mit dir in den Wagen!" fauchte Adi ihn an. Sie befanden sich noch längst nicht in Sicherheit.

„Schade um die vielen schönen Blumen", meinte Bodo bedauernd und bemerkte Tinos wütenden Blick überhaupt nicht. Er schnuffelte weiter an der Nelke.

Adi Ehrlich setzte sich zu Blacky vorn in den Wagen. „Wir müssen uns vorsichtshalber irgendwo verstecken, wo uns keiner sucht!" Er berichtete dem Hehler, was vorgefallen war. „Können wir so lange bei dir unterkriechen, bis die Luft wieder rein ist?"

Blacky überlegte nicht lange. „Du weißt, daß du auf mich zählen kannst! Ich nehme euch gern auf. Auf daß mein Haus voll werde!" Er lachte blubbernd und gab Gas.

Der Baron

Blacky bewohnte am anderen Ende der Stadt eine alte, total verbaute Villa aus den zwanziger Jahren. Kleine Türme und Erker gaben dem Haus ein verspieltes Aussehen und milderten etwas das düstere Bild der von Wind und Wetter angegriffenen Fassade. Die Villa sah reichlich heruntergekommen aus. Blacky tat auch nichts, um das Haus äußerlich auf Hochglanz zu bringen. Man sollte nicht gleich sehen, daß er als Hehler recht gut verdiente. Deshalb fuhr er auch den alten, rostzerfressenen Kombi.

In Blackys Privaträumen sah es dagegen völlig anders aus. Weiche, kostbare Teppiche bedeckten den Boden. Und an den Wänden hingen wertvolle Gemälde, die meist aus recht zweifelhaften Quellen stammten.

Erleichtert ließen sich die vier Ganoven in die schweren Polstersessel fallen, die in Blackys kleinem, aber gemütlichen Wohnzimmer standen. Tino Tran nieste einmal noch ins Taschentuch. Und Fassaden-Carlo starrte mit düsterem Blick auf seine zerschundenen Hände.

„Mist", sagte Carlo einsilbig.

Adi der Trickser nickte. „Das war der totale Reinfall! Und dabei haben wir noch Glück gehabt!"

Blacky setzte eine kummervolle Miene auf. „Die Bullen sind verdammt auf Draht, Adi. Ich erfahre das täglich am eigenen Leib. Die Geschäfte laufen nicht mehr so gut wie früher."

„Die Greifer sind eben nicht fair!" brummte Adi der Trickser. Sie arbeiten schon mit Computern und anderen hochtechnisierten Hilfsmitteln. Von Handwerk keine Spur. Wie sollen wir da noch konkurrenzfähig bleiben? Die Chancen sind nicht gerecht verteilt. Allmählich macht es keinen Spaß mehr, seinen Beruf auszuüben."

Fassaden-Carlo stimmte ihm zu. „Du hast recht, Adi. Mir ist es in letzter Zeit häufig passiert, daß ich an Häusern hochsteige, die mit bombensicheren Alarmanlagen versehen sind. Es sind schlechte Zeiten, sage ich euch."

„Ich habe eine Unmenge Zeit und Geld in unser Unternehmen ‚Kassensturz' gesteckt", beklagte sich Adi deprimiert. „Und was ist dabei herausgekommen? Nichts!"

„Es bringt nichts, der Pleite noch nachzujammern." Blacky zuckte die Achseln. „Seid froh, daß ihr mit heiler Haut davongekommen seid! Ich schlage vor, daß ihr erst mal die dreckigen Klamotten auszieht. Ich habe jede Menge Hemden und Anzüge hinten im Lagerschuppen."

Die Ganoven nahmen das Angebot dankbar an.

Unter der Dusche spülten sie den drei Tage alten Dreck und Schweiß ab und zogen anschließend frische Sachen an. Sie saßen gerade wieder im Wohnzimmer und diskutierten, was nun zu tun sei, als die Türglocke ertönte. Adi blickte den Hehler fragend an.

„Das wird ein Kunde sein", meinte Blacky beruhigend. Trotzdem ist es besser, ihr geht solange ins Nebenzimmer und wartet."

Die vier Ganoven verschwanden im Nebenraum, ließen jedoch die Tür einen Spalt offen. Adi Ehrlich bezog Posten.

„Wer ist es?" raunte Fassaden-Carlo.

„Du wirst es nicht glauben . . . der Baron!" antwortete Adi überrascht. Tino, Carlo und Bodo spähten über Adis Schulter hinweg durch den Spalt. Für einen Augenblick vergaßen sie ihre Sorgen, als sie den großen, schlanken Mann hinter Blacky ins Wohnzimmer treten sahen.

„Der gute Baron Heiner von Hohenschlaufe", murmelte Fassaden-Carlo und unterdrückte ein Kichern.

Heiner von Hohenschlaufe machte seinem Namen alle Ehre. Er sah wirklich wie ein Aristokrat aus. Er trug einen mitternachtsblauen Smoking, ein blütenweißes Smokinghemd mit passender Fliege und Lackschuhe, auf denen man vergeblich auch nur nach einem Staubkorn suchte. Sein schmales, markantes Gesicht wurde von einer hohen Stirn und einer griechisch anmutenden Nase geprägt. Das volle, dunkle Haar war von grauen Strähnen durchzogen.

„Was führt Sie zu mir, Baron?" fragte Blacky.

Heiner von Hohenschlaufe räusperte sich dezent hinter vorgehaltener Hand. Er legte auf ausgezeichnete Manieren größten Wert, und das war in seinem Beruf auch Voraussetzung, wollte man Erfolg haben. Der Baron arbeitete nämlich als Heiratsschwindler, Hochstapler, Falschspieler und gewiefter Scheckbetrüger. Körperliche Arbeit verabscheute er. Er war mehr für „feine, saubere" Jobs.

Ob er wirklich adliger Abstammung war, wie er stets behauptete, hatte noch niemand feststellen können. Das Gegenteil aber auch nicht. Letztlich interessierte es auch keinen. Der Baron benahm sich wie ein Gentleman aus dem Bilderbuch und hatte es deshalb gar nicht nötig, den Beweis, wirklich blaues Blut in den Adern zu haben, zu liefern.

„Es ist mir ausgesprochen unangenehm, Sie belästigen zu müssen", begann der Baron mit akzentuierter, leicht näselnder Aussprache. „Es handelt sich genau genommen um eine Lappalie."

„Brauchen Sie Geld?" erkundigte sich Blacky sehr direkt.

Der Baron rümpfte kaum merklich die Nase. Er empfand die Frage als ein wenig zu plump. Er zupfte seinen rechten Hemdärmel zurecht und sagte: „Ich habe mich in meiner Disposition ein wenig verschätzt und befinde mich in einem finanziellen Engpaß, der natürlich nur temporärer Natur ist." Er brauchte natürlich Geld, und zwar dringend, zog es jedoch vor, seine Geldschwierigkeiten etwas vornehm zu umschreiben.

„Mehr Schulden als Haare auf dem Kopf, nicht wahr?" Blacky schmunzelte.

Unangenehm berührt zog der Baron die Augenbrauen hoch. „Wie?"

36

„Ach, nur ein weiser Spruch", erklärte Blacky.

Heiner von Hohenschlaufe hielt es in dieser Situation für angebracht, seinem Befremden besser keinen Ausdruck zu verleihen. „Ich benötige einen kurzfristigen Kredit."

„Ich kaufe und verkaufe nur. Kredit gibt es bei mir nicht", bedauerte Blacky.

Der Baron seufzte. „Möglicherweise besitze ich etwas, das Ihr Interesse wecken könnte." Er reichte dem Hehler eine goldene Armbanduhr. „Ich trenne mich nur äußerst ungern davon. Eine von mir hochgeschätzte Freundin verehrte mir das kostbare Stück."

Blacky konnte sich schon denken, um was für eine „hochgeschätzte Freundin" es sich da handelte. Der Baron hatte bestimmt irgendeiner steinreichen Witwe die Ehe versprochen und sie nach allen Regeln der Heiratsschwindlerkunst ausgenommen, bevor er sie hatte sitzen lassen.

Blacky begutachtete die Uhr. „Fünfhundert!" lautete sein Angebot.

Entsetzt riß der Baron die Augen auf. „Fünfhundert? Sie ist mindestens zweitausend wert."

Ein zähes Gefeilsche begann. Schließlich einigte man sich auf achthundert, und die Uhr wechselte den Besitzer. Als Blacky dem Baron das Geld auszahlte, mußte Tino Tran im Nebenzimmer niesen.

Erschrocken fuhr der Baron herum. „Wer war das?"

Adi Ehrlich stieß die Tür auf und grinste breit. „Keine Sorge, Baron, wir sind ganz unter uns!"

Heiner von Hohenschlaufe verstand sich ausgezeichnet mit Adi. Sie hatten schon mehrmals zusammengearbeitet. Sein unwilliger Gesichtsausdruck machte aufrichtiger Freude Platz. Er wollte sofort wissen, was Adi mit seinen Leuten bei Blacky machte. Und Adi erzählte ihm die ganze Geschichte.

„Wenn ihr ein Alibi braucht, dann stehe ich für euch gerade!" bot sich der Baron spontan an. „Ich werde bezeugen, daß wir hier das ganze Wochenende über gepokert haben!"

„Auch ich trete natürlich als Zeuge auf!" fiel Blacky ein. „Wir waren alle hier in diesem Haus!"

„Das ist nobel!" Fassaden-Carlo schien ein wenig erleichtert.

„Was haltet ihr davon, wenn wir auf den Schreck erst mal eine Flasche Wein köpfen?" schlug Blacky vor.

Sein Vorschlag wurde einstimmig angenommen. Das Ganoven-Sextett machte es sich gemütlich. Und bald lagen wirklich Spielkarten auf dem Tisch . . .

Eine letzte Warnung

Heiner von Hohenschlaufe überlegte gerade, ob er einen seiner perfekten Falschspielertricks anwenden sollte, was ihm bei seinen Freunden eigentlich widerstrebte, als wieder die Türglocke schrillte.

„Bleibt bitte hier. Ich kläre die Sache in der Diele." Der Hehler verließ das Zimmer.

Augenblicke später kehrte er zurück. In Begleitung eines nicht sonderlich gepflegten Mannes Ende Fünfzig, der einen zerknitterten Trenchcoat trug und kein einziges Haar mehr auf dem Kopf hatte.

Die Ganoven kannten ihn alle. Zu gut. Leider!

Es war Kommissar Klicker . . . Kommissar Nagel, der schärfste Kriminalbeamte, den die Stadt zu bieten hatte.

Der Schock machte sie im ersten Moment sprachlos.

Kommissar Nagel blieb in der Tür stehen, die Hände in den Taschen seines vergammelten Regenmantels vergraben, und kaute auf einer kalten Zigarre. Sein verschleierter Blick, der dem einer schläfrigen Dogge ähnelte, wanderte von einem Ganoven zum anderen. Bei Adi Ehrlich blieb er schließlich hängen.

„Sieh da", nuschelte Kommissar Nagel, wegen seiner spiegelblanken Glatze zutreffend Klicker genannt. Mit schleppendem, schlurfendem Gang trat er ins Zimmer. „Die Herren Ganoven in trauter Runde."

Heiner von Hohenschlaufe richtete sich zu seiner vollen Größe auf. „Diese Beleidigung möchte ich mir doch mit aller gebotenen Höflichkeit verbitten!" sagte er mit vornehmer Empörung.

Kommissar Klicker zog spöttisch die Augenbrauen hoch. „Ah, der Herr Baron ist auch zugegen. Heute wieder fein in Schale, was?"

„Sie sprechen mit einem Gentleman!"

„Gentlemen holen sich meines Wissens den Smoking nicht aus dem Leihhaus", erwiderte Kommissar Klicker trocken.

Heiner von Hohenschlaufe schoß das Blut ins Gesicht. „Woher wissen Sie . . ." Er brach hastig ab. Der Smoking war wirklich ausgeliehen. Der Teufel mochte wissen, woher der Kommissar die Information hatte!

Klicker beachtete den Baron nicht weiter und wandte sich Adi zu. „Geschickt gemacht, Adi, sehr geschickt. Sie machen Ihrem Namen als Trickser wirklich alle Ehre."

Adi Ehrlich war weit davon entfernt, den Glatzkopf nach seinem Äußeren einzuschätzen. Der Kommissar gehörte wahrlich nicht zu den einfältigen Typen. Er tat nur so. Es war eiskalte Berechnung. Schon so mancher Ganove hatte geglaubt, Klicker an der Nase herumführen zu können und viel zu spät feststellen müssen, daß er ihm ins Netz gegangen war.

„Ich weiß nicht, wovon Sie reden", sagte Adi vorsichtig.

Kommissar Klicker seufzte betrübt. „Ein paar superschlaue Burschen versuchten heute die Bank anzuzapfen", berichtete er und ließ Adi nicht aus den Augen. „Sie hätten es beinahe geschafft. Leider sind sie uns entwischt. Und ich weiß ganz genau, wer hinter diesem Coup steht."

„So?" Adi wurde es mulmig zumute.

Kommissar Klicker blickte den Ganovenboß scharf an. „Bis-

*„Ein paar superschlaue
Burschen versuchten heute die
Bank anzuzapfen!" berichtete Kommissar Klicker*

her sind wir immer einigermaßen klargekommen, Adi. Ich habe Ihnen nie etwas nachweisen können, vermutlich, weil ich mich nie sehr darum gekümmert habe. Aber die Zeiten sind jetzt vorbei." Mit einer heftigen Handbewegung schnitt der Kommissar dem Ganoven das Wort ab. „Sparen Sie sich Ihre Unschuldsbeteuerungen, Adi. Der Coup trägt Ihre exzellente Handschrift. Sie und Ihre Männer sind mir um Haaresbreite entkommen. Das passiert mir nur einmal! Beim nächstenmal sind Sie reif, das versichere ich Ihnen!"

„Soll das eine Drohung sein?" fragte Heiner von Hohenschlaufe mit gespielter Empörung.

„Es ist eine letzte Warnung!" antwortete der Kommissar scharf. „Einmal hat auch Ihre Glückssträhne ein Ende, meine Herren. Dann wandern Sie für fünf, zehn oder fünfzehn Jahre hinter Gitter!" Damit wandte er sich um und verließ das Zimmer.

Sekunden später fiel die Haustür mit einem lauten Krachen zu. Blacky vergewisserte sich, daß der Kommissar mit seinem Wagen wegfuhr. Dann kehrte er zu seinen Freunden zurück. „Der Glatzkopf kennt sich aus", sagte er mit widerwilliger Bewunderung. „Er ist ein gewaltiger Jäger vor dem Herrn . . ."

„Das war eine glatte Kampfansage. Er wird uns nicht mehr aus den Augen lassen", meinte Fassaden-Carlo bedrückt. „Wir sind erledigt!"

Adi nickte düster. „Der Kommissar stößt keine leeren Drohungen aus! Dazu kenne ich ihn zu gut. Er wird uns die Hölle heiß machen, Jungs."

„Dieser Tag ist eine einzige Katastrophe!" stöhnte Tino Tran und fegte mit einem heftigen Niesanfall die Karten vom Tisch.

„Was nun?" fragte Blacky.

Niemand wußte eine Antwort. Bedrückendes Schweigen breitete sich aus. Keiner von ihnen machte sich Illusionen. Kommissar Klicker würde ihnen im Nacken sitzen und darauf lauern, daß sie irgendwann mal einen Fehler machten.

Sie saßen in der Falle.

Blackys Geistesblitz

Adi der Trickser brach schließlich das Schweigen. „Es gibt nur eine Möglichkeit, Kommissar Klicker auszutricksen."

„Laß hören!" stieß Blacky hervor.

Gespannt blickten ihn die Ganoven an. Hoffnung zeigte sich auf ihren Gesichtern. Adi der Trickser war ja bekannt dafür, daß ihm stets etwas Ausgefallenes einfiel.

„Ganz einfach", sagte Adi in die gespannte Stille. „Wir werden ehrliche Leute!"

„Ehrlich?" echote Blacky verständnislos. „Ich habe mir nichts vorzuwerfen. Ich habe immer einen fairen Preis gezahlt!"

Auch der Baron fühlte sich in seiner Berufsehre getroffen. „Ich habe nur steinreiche Trottel um ein paar Tausender erleichtert. Die Burschen konnten den Verlust locker verkraften. Das müßtest du eigentlich wissen, Adi!"

„Ich bin auch nie in Rentnerwohnungen eingestiegen!" versicherte Fassaden-Carlo nun.

„Regt euch doch nicht so auf!" beruhigte Adi seine Freunde. „Ich wollte eure Berufsehre nicht antasten. Mit ehrlich werden meinte ich etwas anderes."

„Über meine Blüten hat sich noch niemand beklagt", muffelte Tino.

„Ich meine, wir sollten den Ganovenberuf an den Nagel hängen und gesetzestreue Bürger werden", erklärte Adi.

Betroffenheit zeigte sich auf den Gesichtern. Im ersten Moment konnten und wollten sie nicht glauben, daß Adi Ehrlich es ernst gemeint hatte.

Blacky verdaute den Schock als erster. „Du bist verrückt! Gesetzestreue Bürger, die regelmäßig ihre Steuern zahlen, den Schutzmann höflich grüßen und den Wagen nicht im Parkverbot abstellen? Meinst du das?"

Adi nickte. „Genau."

Tino Tran vergaß seinen Niesreiz. „Wie stellst du dir das vor? Soll ich mich vielleicht bei der Deutschen Bundesbank als Blütenfachmann bewerben?

Bodo der Bomber rieb sich dagegen nachdenklich das Kinn. „Ehrlich sein wäre doch mal was anderes . . ."

„Totaler Blödsinn wäre das!" brauste Carlo auf. „Es wäre eine völlig sinnlose Vergeudung unserer Talente!"

Adi der Trickser sprang aufgeregt aus seinem Sessel. „Ihr könnt euch entscheiden wie ihr wollt. Ich finde meine Idee ganz schön aufregend. Endlich mal was Neues! Ich will es jedenfalls versuchen. Und von diesem Entschluß wird mich keiner abbringen. Das ist *die* Chance! Und außerdem kenne ich den sturen Kommissar gut genug, um zu wissen, daß wir keine Chance gegen ihn haben, wenn er uns erst mal auf dem Kieker hat."

Blacky nickte widerwillig. „Da ist was Wahres dran."

„Ich steige mit dir aus", erklärte Bodo der Bomber. „Du hast immer die besten Ideen. Bloß, wo steigen wir wieder ein, Adi?"

„Das weiß ich noch nicht", murmelte der Ganovenboß. „Auf jeden Fall in keine Bank mehr! Fünfzehn Jahre gesiebte Luft? Nein, danke! Außerdem reizt es mich, meine Fähigkeiten mal völlig anders einzusetzen. Klicker wird sich wundern!"

Adis Stimme klang begeistert.

„Versuchen kann man es ja", lenkte nun auch Tino Tran ein. Aber nicht aus Einsicht. Er hatte Angst, Angst vor Kommissar Klicker. Heute war der schwärzeste Tag in seinem Leben gewesen. Und nun auch noch ehrbar werden. Welch eine Blamage!

„Und du, Baron?" Adis Augen leuchteten schelmisch.

„Die Geschäfte laufen schlecht. Ich bin also mit von der Partie", sagte Heiner von Hohenschlaufe achselzuckend.

Blacky grinste schief. „Dann will ich auch nicht zurückstehen. Verlieren können wir ja nichts."

„Und wie sollen wir nun ehrbare, gesetzestreue Bürger werden?" erkundigte sich Bodo Bomber, der die ganze Sache ungeheuer aufregend fand.

Was konnten sie tun?

Erregt diskutierten die sechs Ganoven alle Möglichkeiten, die ihnen einfielen. Bodo schlug vor, eine Boxerschule aufzumachen. Die Entscheidung hieß: nein! Auch die Idee des Barons, sich als Butler bei vornehmen Leuten zu verdingen und einen Service-Dienst zu eröffnen, stieß auf wenig Gegenliebe. Die unmöglichsten Ideen wurden zur Sprache gebracht. Doch immer nur Ideen, die einzelne, nie alle gemeinsam betrafen. Es sah schlecht aus. Der gemeinsame Weg ins bürgerliche Leben schien fast unmöglich. Mutlos saßen die sechs um den Spieltisch.

„Wir eröffnen ein Hotel!" brüllte Blacky plötzlich, begeistert von seinem Geistesblitz. Erwartungsvoll sah er in die Runde.

„Ein Hotel?" Fassaden-Carlo faßte sich an die Stirn. „Du tickst wohl nicht mehr richtig?"

„Eine Schnapsidee!" knurrte Tino Tran.

Adi Ehrlich dagegen hatte sinnierend seine Augen auf „Unendlich" eingestellt. Er wiegte seinen Kopf hin und her. „Immer langsam, Freunde. Laßt ihn erst mal ausreden. Du hast, wie ich dich kenne, schon was Bestimmtes vor, Blacky!"

Der Hehler nickte. „Das *Park-Hotel* am Westpark!"

„Warum nicht gleich das *Plaza* in New York?" spottete der Baron.

„Ich kenne den Besitzer des Hotels sehr gut", berichtete Blacky eifrig. „Peter Porter heißt er. Zur Zeit steht er tief in meiner Schuld. Wir haben schon eine ganze Menge Geschäfte miteinander gemacht. Ich weiß, daß er das Hotel, das nun schon über ein halbes Jahr geschlossen ist, verkaufen will. Der alte Kasten ist billig zu haben. Wenn wir unsere Ersparnisse zusammenschmeißen, könnten wir es schaffen."

„Ich könnte ein paar erstklassige Scheine herstellen", überlegte Tino Tran laut. „Es müßten natürlich Hunderter sein, weil frische Tausender so auffällig sind. Wenn ich mich anstrenge, zaubere ich die Druckplatte in einer Woche hin. Damit wären bereits alle Geldprobleme gelöst."

Bodo der Bomber strahlte. „Dann sind wir ja aus dem Schneider! Vielleicht machst du noch ein paar Geldbündel mehr, Tino. Ein bißchen Vorrat kann nicht schaden, oder?"

„Wollt ihr ehrliche Bürger werden – oder Ganoven bleiben?" erkundigte sich Adi der Trickser freundlich.

Tino Tran blickte den Ganoven-Boß durch seine Nickelbrille beschwörend an. „Für den Anfang reicht doch bestimmt schon ein wenig Gesetzestreue. Wir müssen uns langsam an den neuen Zustand gewöhnen . . ."

„Kommt nicht in Frage!" lehnte Adi energisch ab. „Ich mache keine halben Sachen. Das wißt ihr ganz genau. Wer mitmachen will muß sich jetzt entscheiden. Wir starten Unternehmen ‚Bratpfanne'. Wir legen zusammen und kaufen das Hotel."

„Wenn wir nicht ganz hinkommen, gibt uns Peter Porter sicherlich einen Kredit", sagte Blacky.

„Und wer schmeißt den Laden?" wollte Fassaden-Carlo wissen, der noch immer sehr skeptisch war. „Wer macht die Betten, steht hinter der Rezeption, kocht und schleppt die Koffer?"

„Wir", antwortete Adi trocken.

„Ich mache den Liftboy!" rief Bodo mit glänzenden Augen. „Al Capone fährt mit. Er liebt Aufzüge."

„Du mußt leider die Koffer schleppen!" knurrte Carlo bissig.

„Das mache ich aber nicht!" protestierte Bodo.

„Die Küche ist natürlich mein Ressort!" meldete Blacky nun seine Ansprüche an. „Ich hatte schon immer eine Schwäche für Bratpfannen! Das bin ich meinem Namen schuldig."

„Und wer die Buchhaltung übernimmt, ist auch keine Frage." Tino Tran grinste zweideutig. „Wir werden immer eine erstklassige Bilanz haben."

„Erstens werden wir eine den Tatsachen entsprechende Buchführung haben und keine frisierte, Tino. Und zweitens klären wir die Arbeitsaufteilung erst dann, wenn wir wirklich Besitzer des Hotels sind – und nicht früher! Und jetzt schlage ich vor, daß wir uns den Kasten erst mal ansehen, bevor wir weitere Pläne schmieden."

Begeistert stimmten ihm die Ganoven zu.

Hotel oder Geisterbahn?

Die Gegend um den Westpark war ausgesprochen reizvoll. Das *Park-Hotel* dagegen ganz und gar nicht. Als die sechs Ganoven aus dem klapprigen Kombi stiegen, fiel ihre Begeisterung wie ein Kartenhaus in sich zusammen.

Das *Park-Hotel* war ein vierstöckiges Gebäude mit alter Stuckfassade und breiten Fensterbänken. An vielen Stellen zogen sich Risse durch das Gemäuer und es fehlte der Putz. Alle Fenster waren mit Brettern vernagelt. Und die Leuchtschrift über dem breiten Portal bestand nur noch aus fünf Neonbuchstaben. *„Pa .. H .. el."*

„Diese Bruchbude sollen wir kaufen?" Fassaden-Carlo schüttelte fassungslos den Kopf. „Der Bau ist doch im besten Fall für einen Abbruchunternehmer interessant."

„Sehr einladend sieht das Hotel wirklich nicht aus", stimmte Adi ihm zu.

„Die Ruine können wir vergessen", meinte Tino Tran und wandte sich ab.

„Ihr habt doch alle keine Ahnung!" sagte Blacky ärgerlich, der sich persönlich angegriffen fühlte. „Natürlich müssen wir es ein bißchen renovieren ..."

„Ein bißchen?" Carlo lachte geringschätzig. „Das ist eine Lebensaufgabe für einen professionellen Restaurateur!"

Adi seufzte. „Kommt. Wir sehen uns das Hotel mal erst von innen an."

Blacky holte seine Taschenlampe aus dem Wagen und führte die Freunde in den Hinterhof. Es war ein Kinderspiel für die Ganoven, eine der Kellertüren aufzubrechen.

„Himmel, das ist ja gespenstisch!" rief Bodo der Bomber mit gedämpfter Stimme, als sie in die riesige Hotelhalle gelangten. Sand knirschte unter ihren Schuhen. Von der hohen Decke hingen dichte Spinnennetze bis zum Boden herunter. Und durch die Ritzen in den Bretterverschlägen vor den Fenstern fiel ein diffuses Licht in die Halle.

„Der Bau ist Gold wert . . . Aber nicht als Hotel, sondern als Geisterbahn", bemerkte Fassaden-Carlo mit bissigem Spott. „Wenn wir noch ein paar Skelette in die Nischen stellen und Rotlicht einbauen, wird die Ruine ein echter Schlager!"

Adi Ehrlich sah sich aufmerksam um. „So schlimm ist es gar nicht", sagte er, als sie in den ersten Stock stiegen. „Mit ein paar Eimern frischer Farbe, neuen Gardinen und gutem Willen kriegen wir das schon hin."

„Der Meinung bin ich auch", unterstützte ihn Blacky eifrig. Als leidenschaftlicher Hobbykoch und Weinliebhaber war er von dem Gedanken, die Küche zu führen, hellauf begeistert. „Außerdem bekommen wir alles , was wir zur Renovierung brauchen, von Peter Porter. Zu einem lächerlich geringen Preis."

„Da bin ich aber gespannt", brummte Tino Tran und wischte sich angeekelt einige Spinnweben aus dem Gesicht.

Plötzlich sprang der Kater Al Capone aus Bodos Jackentasche und huschte über den dunklen Gang. Er hatte eine Maus entdeckt.

„Hiergeblieben!" Bodo rannte seinem Liebling nach.

Einen Augenblick später hallte ein Schrei durch den leeren Flur. Holz splitterte und krachte. Staubwolken trieben durch den Gang.

„Um Gottes willen, das war Bodo!" schrie Fassaden-Carlo.

„Die Taschenlampe! Schnell!" Adi rannte los.

Blacky leuchtete mit der Stablampe den Gang hinunter. „Bodo? Wo bist du?"

Die Antwort war ein langgezogener Fluch, begleitet von einem hellen Miauen.

Der Lichtkegel erfaßte Bodo Brocken. Morsche Bodenbretter hatten unter seinem Schwergewicht nachgegeben. Der ehemalige Boxer steckte bis zu den Schultern im klaffenden Spalt. Vergeblich versuchte er sich hochzuziehen, er war eingeklemmt. Al Capone hatte die Maus längst vergessen und hockte direkt vor Bodos Gesicht. Er miaute und leckte über Bodos Kinn, als wollte er ihn trösten.

„Ich habe doch gesagt, das ist eine Ruine", schimpfte Fassaden-Carlo.

„Red kein Blech. Pack lieber mit an!" forderte Adi Ehrlich ihn auf.

Mit vereinten Kräften befreiten die Ganoven Bodo Brocken aus seiner mißlichen Lage. Schnaufend hievte er sich hoch und klopfte sich den Staub von der Kleidung.

„Na, willst du noch immer Fahrstuhlführer in dieser Bruchbude werden?" fragte Tino Tran spöttisch.

„Ich mag Lifts . . . und Al Capone auch", antwortete Bodo unerschütterlich.

„Dir ist nicht zu helfen", seufzte Tino Tran.

„Wir haben genug gesehen", sagte Adi Ehrlich nun. „Es muß zwar eine Menge gemacht werden, aber wir können es schaffen. Wir sollten jetzt mit Peter Porter sprechen, um handelseinig zu werden."

„Junge, Junge, so habe ich mir ein ehrbares Leben nicht vorgestellt", seufzte Fassaden-Carlo und folgte den anderen die Treppe hinunter.

Die sechs Ganoven schlugen die Richtung zum Hinterausgang ein, als plötzlich gleißendes Licht die Hotelhalle in grelle

Al Capone miaute und leckte über Bodos Kinn,
als wollte er ihn trösten

Tageshelle tauchte. Zu Tode erschrocken wichen die Männer
zurück und kniffen die Augen zusammen, um sich vor dem
schmerzhaft blendenden Licht zu schützen.

„Verdammt, was ist das?" schrie Tino Tran in panischer
Angst. Seine Nerven hatten während der vergangenen Tage
übermäßig stark gelitten.

„Vielleicht sind die Deckenleuchten angegangen", sagte Bodo
der Bomber mit der ihm angeborenen Naivität.

„Strohkopf!" blaffte Tino.

„Stehenbleiben!" rief unvermittelt eine befehlsgewohnte,
schneidende Stimme.

Adi Ehrlich blinzelte in das grelle Licht. „Kommissar Nagel?" stieß er überrascht hervor und bemerkte erst jetzt, daß das Licht aus drei verschiedenen Richtungen kam. Kommissar Klicker war also diesmal in Begleitung.

Der Kommissar senkte seinen Handscheinwerfer etwas. „Ich hoffe, wir stören nicht bei eurer ... Besichtigung", sagte er sarkastisch.

„Ganz und gar nicht, Kommissar", antwortete Bodo treuherzig. „Wir sind gerade fertig, nicht wahr, Adi?"

„Ja", knurrte Adi der Trickser. Er ahnte, daß der Glatzkopf nicht gekommen war, um ihnen den Weg zu leuchten.

„Okay, Freunde, dann streckt mal alle eure hübschen Ärmchen nach vorn!" forderte der Kommissar sie mit triumphierendem Unterton in der Stimme auf. „Ich habe da ein paar reizende Armbänder. Sie werden euch ausgezeichnet stehen, auch wenn sie nur aus Stahl sind!"

„Sie wollen uns verhaften?" Fassaden-Carlo starrte den Glatzkopf fassungslos an.

„Glaubst du vielleicht, ich bin gekommen, um euch einen Orden für außergewöhnliche Frechheit zu verleihen?" antwortete Billardkugel aufgebracht. „Ich verstehe nicht, was ihr in dieser Bruchbude gesucht habt, aber das interessiert mich im Augenblick auch nicht. Ihr seid hier eingebrochen. Und damit seid ihr reif für den Haftrichter. Ich habe euch auf frischer Tat ertappt. Jetzt helfen euch auch keine getürkten Alibis mehr. Es hat sich ausgetrickst, Adi!"

Adi Ehrlich schluckte. Der Gedanke, daß sie sich mit ihrer Besichtigungstour womöglich strafbar machen könnten, war ihnen gar nicht gekommen. Kommissar Klicker hatte das Haus des Hehlers vermutlich nicht aus den Augen gelassen und war ihnen gefolgt, als sie gemeinsam zum *Park-Hotel* gefahren waren. Für ihn war der Tatbestand eines Einbruches natürlich erfüllt.

„Es handelt sich um einen Irrtum, Kommissar ...", begann

Adi der Trickser und wollte ihm erklären, weshalb sie hier eingestiegen waren.

Klicker ließ ihn nicht ausreden. „Spar dir deine Worte für den Richter!" unterbrach er ihn. „Arme hoch!"

Blacky trat einen Schritt vor. „Sie machen einen großen Fehler, Kommissar!" rief er beschwörend. „Wir sind hier, weil wir das Hotel kaufen und ehrbare Bürger werden wollen!"

Der Kommissar lachte schallend. „Deine Sprüche waren schon immer gut, Blacky. Ehrbare Bürger!" Das Gelächter schwoll an und schallte von den Wänden zurück. Schlagartig wurde er wieder ernst. „Schluß jetzt mit der Schmierenkomödie! Ihr seid verhaftet! Henders! Rohstock! Legen Sie ihnen die Handschellen an!"

Der Baron zitterte vor Wut. „Das wird für Sie noch ein böses Nachspiel haben!"

„Ich werde mich überraschen lassen." Klicker blieb gelassen.

Adi der Trickser unternahm einen letzten Versuch, den Beamten von der Verhaftung abzuhalten. „Diesmal irren Sie sich wirklich, Kommissar. Was Blacky gesagt hat . . ."

„. . . interessiert mich nicht!" unterbrach ihn Kommissar Nagel. „Einbruch ist Einbruch, Adi. Eigentlich hätte ich dich für schlauer gehalten. So kurz nach dem fehlgeschlagenen Bankraub in ein leerstehendes, baufälliges Hotel einzusteigen, zeugt nicht gerade von hoher Intelligenz."

Die beiden Kriminalbeamten, die Kommissar Nagel begleitet hatten, legten den Ganoven Handschellen an. In der jetzt eintretenden Stille klang das metallische Klicken erschreckend bedrohlich.

Über Funk beorderte Klicker einen gepanzerten Mannschaftswagen zum *Park-Hotel*. Zehn Minuten später stiegen Adi und seine Freunde in den Wagen, dessen Fenster aus Panzerglas und vergittert waren. Die schwere Tür fiel hinter ihnen zu, und der Wagen ruckte an.

„Die Idee war von Anfang an idiotisch!" schimpfte Tino Tran

und zerrte an den Handschellen. „Jetzt haben wir die Bescherung!"

„Das ist eine Schande, meine Herren!" Der Baron saß stocksteif auf der harten Bank. „Zum erstenmal in meinem Leben trage ich Handschellen. Ich bin erschüttert. Der Justiz ist ein skandalöser Irrtum unterlaufen! Ich werde gegen diese erniedrigende Behandlung energisch protestieren!" Seine Augen funkelten.

Adi der Trickser lächelte nur gelangweilt. „Streng dich nicht so an, Baron. Die Greifer vorn im Wagen können dich nicht hören. Die Trennscheibe ist geschlossen, wie du siehst. Heb dir deinen theatralischen Auftritt also besser für später auf."

Der Baron blickte ihn beleidigt an. „Was heißt hier Auftritt! So behandelt man keinen Gentleman, Adi!"

„Wo ist denn hier ein Gentleman?" fragte Tino Tran spitz.

„Diesen Ton verbitte ich mir!" erregte sich Heiner von Hohenschlaufe.

„Nun regt euch mal alle wieder ab, Jungs", unterbrach Adi die Streithähne. „Gönnt Klicker doch ruhig den Triumph. Lange wird er sich nicht daran erfreuen können."

Blacky nickte zustimmend. „Peter Porter wird uns schon herauspauken. Ich werde ihn vom Polizeirevier aus anrufen. Macht euch keine Sorgen! Der ist in Ordnung!"

„Hoffentlich behältst du recht", knurrte Fassaden-Carlo.

Der gepanzerte Mannschaftswagen hielt wenig später im Hof des Polizeireviers. Kommissar Nagel begleitete die verhafteten Ganoven höchstpersönlich in den Zellentrakt. Als Blacky darauf bestand, ein Telefonat zu führen, zuckte Kommissar Klicker lässig mit den Achseln und ließ ihn gewähren.

„Was hat er gesagt? Holt uns Porter heraus?" bestürmten Carlo und Tino den Hehler, als er zu ihnen in die Zelle zurückkehrte.

Blacky grinste breit. „Ich hab euch doch gesagt, daß Peter in Ordnung ist. Er ist bereit, alles zu beschwören und zu beeiden, wenn wir ihm nur das Hotel abkaufen. Klicker hat keine Chance."

Erleichterung spiegelte sich auf den Gesichtern der Ganoven. Eine halbe Stunde später hörten sie Schritte. Kommissar Nagel kam in Begleitung eines hageren Mannes mit Adlernase und buschigen Augenbrauen in den Zellentrakt.

„Das ist Peter Porter!" raunte Blacky.

Billardkugel machte ein saures Gesicht und nagte ärgerlich an seiner kalten Zigarre. Widerwillig schloß er die Zellentür auf.

„Ich weiß nicht, wie ihr das gedeichselt habt", muffelte der Kommissar, „aber mir bleibt leider nichts anderes übrig, als die Aussage von Herrn Porter zur Kenntnis zu nehmen."

Peter Porter verkniff sich ein spöttisches Lächeln und bemühte sich um einen ernsten Tonfall, als er sagte: „Die Herren waren in meinem Auftrag im *Park-Hotel,* Kommissar. Ich bin über die grundlose Verhaftung äußerst befremdet!"

Das war genau der Tonfall, den der Baron so liebte. Wie vom Katapult geschossen, sprang er von der Pritsche auf. In seinem eleganten Smoking sah er völlig deplaziert in der grauen, tristen Zelle aus. „Befremdet ist gar kein Ausdruck! Es ist skandalös! Mein Glauben an die Justiz ist erschüttert! Ich werde dafür sorgen . . ."

Wofür er sorgen wollte, erfuhr niemand mehr. Adi Ehrlich war der Meinung, daß es besser war, keine allzu großen Töne zu spucken. Deshalb trat er dem Baron einmal fest auf den rechten Lackschuh. Der Baron heulte auf und hüpfte in der Zelle hin und her, wobei er seinen rechten Fuß mit beiden Händen umklammerte.

„Oh, das tut mir leid", entschuldigte sich Adi der Trickser scheinheilig und erntete von den anderen Ganoven schadenfrohe, dankbare Blicke.

„Los, raus mit euch!" Der Glatzkopf machte eine ungeduldige Bewegung mit dem Schlüsselbund. „Das nächstemal rettet euch aber kein noch so gerissener Trick, Adi."

„Es wird kein nächstes Mal geben", erwiderte Adi der Trickser.

„So? Wollt ihr etwa in die Heilsarmee eintreten?" fragte Klicker mit beißendem Spott.

„Wir werden das *Park-Hotel* kaufen", informierte ihn der Ganovenboß.

Kommissar Nagel hielt das für einen äußerst schlechten Witz. Er konnte nicht einmal lachen. „Und ich werde nächste Woche Präsident der Vereinigten Staaten von Amerika!"

„Ich habe das Gefühl, Sie nehmen ihn nicht ernst", mischte sich nun Peter Porter ein. „Es stimmt. Ich stehe in Verhandlungen mit den Herren und werde das *Park-Hotel* vermutlich an sie verkaufen.

Kommissar Nagel blickte verblüfft von einem zum anderen. Er öffnete den Mund, ohne jedoch einen Ton herauszubekommen. Schließlich schüttelte er den Kopf und fixierte Adi den Trickser scharf.

„Ich werde schon noch herausbekommen, was für ein faules Ei ihr da wieder auskocht, Adi!" versprach er. „Ich kriege euch noch! Alle!"

„Sie sind zur Eröffnung des Hotels herzlich eingeladen", sagte Blacky, ohne auf die ohnmächtigen Drohungen näher einzugehen.

„Raus mit euch!" brüllte Klicker. Er fühlte sich über die Maße verspottet.

Die Ganoven verließen eiligst das Polizeirevier.

„Jetzt zum Geschäft!" sagte Peter Porter und bestand darauf, die Kaufbedingungen sofort festzulegen. Nach zwei Stunden hitzigen Verhandelns waren alle Parteien mit dem Ergebnis zufrieden.

Eine Woche später wurde der Kaufvertrag beim Notar von den sechs Ganoven und Peter Porter unterschrieben. Bei der feierlichen Zeremonie kam es allerdings zu einem unerfreulichen Zwischenfall.

Der Notar vermißte plötzlich seinen goldenen Füllfederhalter. Aufgeregt suchte er den Schreibtisch ab, ohne das kostbare Stück zu finden.

Adi schöpfte sofort Verdacht. Er musterte Fassaden-Carlo mit durchdringendem Blick. „Vielleicht kannst du dem Notar helfen", sagte er mit warnendem Unterton.

Fassaden-Carlo zuckte schuldbewußt zusammen. „Ich?" fragte er gedehnt.

„Ich glaube, der Füllfederhalter liegt zwischen deinen Füßen, Carlo!" zischte Adi.

Fassaden-Carlo seufzte. Er wußte genau, daß zwischen seinen Füßen nichts lag. Der Füller steckte nämlich schon längst in seiner Jackentasche. Dennoch bückte er sich mit hochrotem Kopf. Als er wieder hochkam, hatte er den goldenen Füllfederhalter in der Hand. „Du hattest recht", sagte er lahm.

„Natürlich", knurrte Adi.

Der Notar war erleichtert, und die Verträge konnten unterzeichnet werden.

Die ehrbare Zukunft der Ganoven hatte begonnen.

Adi machte sich jedoch keine Illusionen. Carlos „Rückfall" hatte gezeigt, daß seine Freunde mit ihrem alten Leben noch nicht völlig gebrochen hatten. Er, Adi Ehrlich, würde ein wachsames Auge auf sie haben müssen. Ein Hotelbetrieb barg für einen professionellen Ganoven nämlich unzählige Versuchungen. Und es war sehr fraglich, ob seine Freunde ihnen immer widerstehen konnten . . .

Das Park-Hotel

Das *Park-Hotel* war nicht wiederzuerkennen. Innerhalb von acht Wochen hatte sich das Gebäude von einem unansehnlichen Kasten in ein ansprechendes Hotel verwandelt. Über dem

Portal prangte in großen, roten Leuchtlettern der Name des Hotels. Die Fenster waren frisch gestrichen, und die Fassade sah wieder vertrauenerweckend aus. Auch innen hatte sich viel getan. Es waren acht harte, anstrengende Wochen gewesen. Und wie oft hatten die Ganoven in dieser Zeit ihren Entschluß, es mal mit ehrlicher Arbeit zu versuchen, verwünscht. So schwer hatten sie in ihrem ganzen Leben noch nicht geschuftet, nicht einmal, als sie den Tunnel gebuddelt hatten.

Jetzt aber waren alle Mühen und Strapazen vergessen.

Der Tag der Eröffnung war gekommen.

Die sechs Ganoven hatten sich in der renovierten Hotelhalle versammelt. Blacky trug stolz die weiße Kleidung des Küchenchefs mit einer superhohen schneeweißen Mütze. Adi Ehrlich war in einen dezenten, grauen Anzug gekleidet, der ihm hervorragend stand. Auch Heiner von Hohenschlaufe, der in Zukunft den Empfangsportier spielen sollte, sah sehr gepflegt und vornehm aus.

Tino Tran und Bodo der Bomber dagegen trugen zu schwarzen Hosen kurze, grün-schwarz gestreifte Westen über weißen Hemden. Bodos Weste war ein wenig klein ausgefallen und drohte schon jetzt aus den Nähten zu platzen. Nun, es konnte eben nicht alles perfekt sein.

„Alles in Ordnung?" erkundigte sich Adi.

„Die Küche wartet auf ihre Gäste!" meldete Blacky stolz.

„Und die Zimmer?" Adi Ehrlich blickte Tino Tran an, der neben der Buchhaltung auch für die Zimmer und den Etagenservice zuständig war.

„Gähnen vor Leere", brummte er und fügte hastig hinzu: „Aber sonst ist alles in Ordnung."

„Worauf warten wir dann noch?" Der Baron war aufgeregt wie ein Kind vor Weihnachten.

Adi Ehrlich schmunzelte. „Okay, öffnen wir das *Park-Hotel* dem Publikum!" sagte er feierlich, was sonst gar nicht seine Art war.

Bodo der Bomber entriegelte die gläserne Drehtür. Erwartungsvoll blickten die Ganoven mit den guten Vorsätzen zur Tür. Doch niemand setzte die Drehtür in Bewegung. Kein Gast ließ sich blicken.

„Alles braucht seine Zeit", beruhigte Adi seine Freunde, als sie unruhig wurden.

„Was machen wir bloß, wenn niemand kommt?" fragte Fassaden-Carlo.

Niemand wußte darauf eine Antwort.

Eine Stunde verstrich, und noch immer war kein Gast in Sicht. Carlo flegelte sich in einen der Sessel, die neben der Rezeption standen, Tino Tran kritzelte mißmutig auf einem Stück Papier herum und malte sich eine Tausend-Dollar-Note, und Blacky wienerte in der Küche seine Schalen und Töpfe zum x-tenmal.

Bodo der Bomber, der neben der Drehtür hockte und mit Al Capone spielte, blickte plötzlich auf und stieß einen Jubelschrei aus.

„Da fährt jemand vor!" rief er außer sich vor Freude. „Der erste Gast!"

„Carlo! Tino! Blacky! Auf eure Plätze!" scheuchte Adi Ehrlich die Männer auf.

Die Gestalt, die auf das Portal zukam, war durch das getönte Glas der Türfront nicht genau zu erkennen. Die Drehtür setzte sich in Bewegung, und Bodo der Bomber stand schon bereit, um dem ersten Gast das Gepäck abzunehmen.

„Kommissar Klicker!" stieß Fassaden-Carlo fassungslos hervor und warf Bodo einen wütenden Blick zu.

Die Enttäuschung war groß. Adi ließ sich jedoch nichts anmerken. Er ging mit freundlichem Lächeln dem Kommissar entgegen. „Herzlich willkommen, Kommissar!" begrüßte er ihn.

Der Glatzkopf sah sich interessiert um. „Nicht schlecht gemacht, Adi. Wirklich nicht schlecht."

„Wir haben uns alle Mühe gegeben", sagte Adi nicht ohne Stolz.

„Das sehe ich", erwiderte Klicker trocken. „Nur möchte ich wissen, für wen dieser Aufwand gedacht ist. Mir macht ihr nichts vor. Ihr habt doch irgendein dickes Superding vor. Wen wollt ihr abkochen? Vielleicht einen Ölscheich oder einen Händler von der Diamantenmesse, die nächste Woche in dieser Stadt stattfindet?"

„Sie haben es immer noch nicht begriffen", antwortete Adi ein wenig verstimmt. „Wir haben einen Schlußstrich unter unsere Vergangenheit gesetzt und betreiben das Hotel jetzt als ehrbare Bürger. Auch wenn Sie es uns nicht abnehmen . . ."

„Tue ich auch nicht", knurrte Kommissar Klicker.

Blacky, der aus der Küche gekommen war, um den ersten Gast zu beäugen, hatte das Gespräch zwischen Adi und Klicker mitbekommen. „Auch aus einem Saulus wurde ein Paulus, Kommissar!"

Der Glatzkopf drehte sich zu ihm um. „An *eine* Bekehrung würde ich vielleicht noch glauben, aber gleich an sechs? Nein, das riecht mir doch zu sehr nach einem Coup von Adi."

Blacky schüttelte betrübt den Kopf. „Es bringt nichts, einem tauben Esel eine Geschichte zu erzählen . . . sagte schon Jesaja." Mit diesem Kommentar verschwand er wieder in der Küche.

„Ist bei Ihnen noch ein Zimmer frei?" fragte plötzlich eine unsichere Stimme im Rücken der Ganoven.

Die Männer wirbelten herum, als hätten sie eine Geisterstimme vernommen. Der Kommissar war im Augenblick vergessen. Vor ihnen stand ein schmächtiger, junger Mann mit zwei Koffern und wartete auf eine Antwort.

„Sie wollen ein Zimmer? Hier bei uns?" fragte Tino Tran mit heiserer Stimme.

Verunsichert blickte der schmächtige Mann drein. „Nun, ich dachte, daß Sie vielleicht noch etwas frei hätten", murmelte er.

„Frei?" Fassaden-Carlo machte eine einladende Geste. „Das

ganze *Park-Hotel* . . .“

„. . . heißt Sie herzlich willkommen!“ fiel Adi Ehrlich ihm schnell ins Wort. Ein völlig leeres Hotel war keine gute Reklame. „Wir werden bestimmt ein Zimmer für Sie finden. Tino, sieh mal im Reservierungsbuch nach.“

Tino Tran ignorierte Kommissar Klickers spöttischen Blick und studierte mit gerunzelter Stirn das Gästebuch. Angestrengt starrte er auf die leeren Seiten.

„Zimmer vier im zweiten Stock wird frei. Mister Jackson muß dringend nach New York zurück“, verkündete Tino Tran schließlich.

„Das ist aber günstig“, sagte der Jüngling erleichtert.

Adi Ehrlich strahlte ihn an. „Ich sagte doch, daß wir Sie schon unterbringen werden. Bodo!“ Er winkte den ehemaligen Boxer heran. „Nimm unserem Gast das Gepäck ab.“

„Mit Vergnügen!“ rief Bodo der Bomber und packte zu. Sein Griff fiel ein paar Nuancen zu hart aus. Er riß die Koffer förmlich an sich, als wollte er damit auf und davon. Der junge Mann wich erschrocken zurück, stolperte und ging zu Boden.

„Idiot!“ zischte Adi Ehrlich. „Du bist hier nicht im Ring, Bodo!“

Bodo machte ein betroffenes Gesicht. „Aber du hast doch gesagt, ich soll ihm das Gepäck abnehmen.“

„Ja, aber ein bißchen vorsichtig!“ knurrte Adi und bemühte sich mit gequältem Lächeln um ihren ersten Gast, der völlig verdattert und sprachlos am Boden hockte. Adi Ehrlich half ihm auf die Beine und entschuldigte sich für Bodo Brockens unverhofft heftige Attacke. „Es ist heutzutage nicht leicht, geschultes Personal zu finden. Auf unsere Angestellten ist jedoch Verlaß, auch wenn Ihnen das im Moment nicht so erscheint. Sie werden mit unserem Haus zufrieden sein.“

„Das *Park-Hotel* genießt einen erstklassigen Ruf“, bemerkte der Baron hoheitsvoll. Er konnte es sich nicht verkneifen, noch ein wenig hochzustapeln. „Ein Großteil unserer Gäste gibt uns

59

jedes Jahr die Ehre."

Der junge Mann war sichtlich beeindruckt und ließ sich vom Baron, der ihn nach allen Regeln der Hochstaplerkunst einseifte, auf sein Zimmer führen.

Kommissar Nagel hatte die Szene mit sichtlichem Vergnügen verfolgt. Er begann nachdenklich zu werden.

Kaum war der Baron mit dem ersten Gast im Aufzug verschwunden, als ein bulliger Mann mit gerötetem Gesicht und Stiernacken in die Hotelhalle stürmte.

„Sie sind meine letzte Hoffnung!" keuchte er. „Wenn Sie nicht einspringen können, bin ich erledigt. Dann kriege ich einen Herzinfarkt!"

„Worum handelt es sich?" fragte Adi Ehrlich verständnislos.

Es stellte sich heraus, daß der rotgesichtige Mann Begleiter einer Reisegruppe war und händeringend für seine Leute Zimmer suchte.

Adi und seine Freunde konnten ihr Glück erst gar nicht fassen. Der bullige Reiseleiter wollte auf einen Schlag vierzehn Zimmer belegen!

Ein Glückstreffer!

Als die Reisegruppe ins Hotel strömte, hatten die sechs Freunde alle Hände voll zu tun. Blacky rannte aufgeregt in der Küche hin und her und legte alles griffbereit. Der Hotelbetrieb lief an – und gleich auf Hochtouren!

Als die Dämmerung hereinbrach und eine kurze Ruhepause eintrat, versammelten sich die sechs Ganoven in der Halle. Sie drängten sich um die Rezeption und starrten andächtig auf die Gästeliste, die Tino Tran ihnen mit sichtlichem Stolz präsentierte.

„Siebzehn Zimmer sind belegt!" verkündete Tino feierlich und ließ sein Pferdegebiß blitzen.

„Wir sind so gut wie ausgebucht!" stieß Fassaden-Carlo ungläubig hervor. „Nur drei Zimmer stehen noch leer. Unvorstellbar!"

„Wißt ihr, was das bedeutet?" fragte Adi.

„Daß wir es geschafft haben!" rief Blacky begeistert.

„Bombig!" strahlte Bodo. Und Al Capone sprang mit einem eleganten Satz von Bodos Schulter auf die Gästeliste.

Der Baron straffte seine Schultern und drückte das Kreuz durch. Und mit fast gelangweilter Arroganz sagte er: „Wen wundert diese Entwicklung, meine Herren? Das *Park-Hotel* genießt nun mal einen exzellenten Ruf!"

Das war nun so dick aufgetragen, daß die Ganoven mit Ausnahme des Barons in Gelächter ausbrachen. Die erste Hürde hatten sie mit viel Schwung genommen. Die Zukunft würde zeigen, ob sie das ehrbare Leben durchhalten und den Verlockungen widerstehen konnten . . .

Carlos Fitneßtraining

Die Versuchung ließ auch nicht lange auf sich warten. Schon am Abend des zweiten Tages suchte sie das *Park-Hotel* heim. Ihr Name war Hermine van Plunder.

Fassaden-Carlo stand gerade zusammen mit dem Baron an der Rezeption, als Hermine van Plunder in die Hotelhalle segelte. Der weiße, lange Pelzmantel, der hinter ihr herwehte, vermittelte zumindest den Eindruck, als würde sie wie ein Dreimaster mit voller Besegelung in den Hafen des *Park-Hotels* einrauschen.

Hermine van Plunder erinnerte mit ihrer mächtigen, schwergewichtigen Figur an eine germanische Walküre. Ihr Haar schimmerte in einem extrem hellen Blond. Sie war aufgedonnert bis zum Es-geht-nicht-Mehr.

Doch all das verblaßte neben dem Funkeln und Glitzern der Schmuckstücke, die sie an den Händen, um den Hals und an den Ohren trug. Fassaden-Carlo und der Baron bekamen große Augen.

„Ein wandelndes Juweliergeschäft!" stöhnte Carlo.

„Welch ein erhabener Anblick!" seufzte der Baron und setzte sein Hochstaplerlächeln auf. „Eine Dame ganz nach meinem Geschmack."

Was Hermine van Plunder mit sich herumschleppte, stand

„Welch ein erhabener Anblick! Eine Dame ganz nach
meinem Geschmack!" seufzte der Baron und setzte
sein Hochstaplerlächeln auf

wahrlich im krassen Gegensatz zu ihrem Namen. Schon die kostbaren Lederkoffer verursachten in Carlos Fingern ein nur allzu vertrautes Kribbeln.

Der Baron wandte all seinen Charme auf und machte Komplimente, die sie wie ein junges Mädchen erröten ließen. Er ließ es sich nicht nehmen, ihr persönlich die Koffer aufs Zimmer zu tragen.

„Stets zu Ihren Diensten, Madame!" Heiner von Hohenschlaufe machte einen vollendeten Diener und bedankte sich artig für das lächerliche Zweimarkstück, das ihm die steinreiche Walküre in die Hand drückte.

„Bringen Sie mir einen Kamillentee aufs Zimmer", verlangte sie. „Und dann möchte ich nicht mehr gestört werden. Ich habe eine lange Reise hinter mir und bin todmüde."

„Sehr wohl, Madame!" Wieder dienerte der Baron. „Wird sofort zu Ihrer vollsten Zufriedenheit erledigt, Madame." Während er sich zurückzog, registrierte er fachmännisch, wie Hermine van Plunder ihre Glitzersteine abnahm und in die oberste Schublade des Nachttischchens legte.

Nachdem der Baron ihr den Kamillentee gebracht und noch ein paar einfallsreiche Komplimente vom Stapel gelassen hatte, kehrte er zu Fassaden-Carlo in die Hotelhalle zurück. Erschöpft sank er auf den harten Stuhl hinter der Rezeption. „Diese Frau ist einfach eine Offenbarung!" stöhnte er.

„Du meinst natürlich ihre Klunker", stellte Carlo richtig.

Der Baron sah ihn mit hochgezogenen Augenbrauen an. „Was denn sonst? Glaubst du, ich leide unter Geschmacksverirrung? Himmel, die Steine werden mir heute nacht den Schlaf rauben!"

„Nicht nur dir", brummte Fassaden-Carlo.

„Die Klunkertante schleppt ein Vermögen mit sich herum! Wie soll man da ehrbar bleiben, Carlo?" Der Baron verdrehte verzweifelt die Augen. „Wenn du wüßtest, wie es in mir aussieht! Ich kämpfe mit mir selbst, aber ich habe keine große

Hoffnung, daß der Kampf zugunsten des Gesetzes ausfällt. Die Gelegenheit ist einfach zu verlockend!"

Dieser Meinung war Fassaden-Carlo auch, sagte jedoch nichts. Er fühlte Gewissensbisse, daß er der Versuchung schon so schnell erlag. Immerhin hatte er Adi das Versprechen gegeben, sich auf keine krummen Touren mehr einzulassen. Und dieses Versprechen belastete ihn jetzt.

Aber war es andererseits nicht allzu menschlich, daß er dieser Versuchung nicht widerstehen konnte? Warum mußte diese Hermine van Plunder auch so mit ihrem Reichtum protzen? Sie hatte eigentlich eine Lektion verdient!

Unter einem Vorwand ließ Fassaden-Carlo den Baron allein an der Rezeption zurück und begab sich eiligst auf sein Zimmer. Er zog den Aluminiumkoffer, in dem er sein Handwerkszeug untergebracht hatte, unter dem Bett hervor. Mit glänzenden Augen legte er Seil, Handschuhe und Einbruchswerkzeuge zusammen.

„Ich brauch ihr ja nicht gleich alles abzunehmen", beruhigte Carlo sein Gewissen. „Aber zumindest will ich mir die Glitzersteine mal ansehen und in der Hand halten."

Um keinem seiner Freunde und vor allem nicht Adi Ehrlich in die Arme zu laufen, schlich er die Feuertreppe zum Dachboden hoch.

Ein heftiges Gewitter ging über Steinenbrück nieder, als Carlo die Dachluke öffnete. Starke Windböen peitschten ihm warmen Regen ins Gesicht.

Carlo ließ sich dadurch nicht von seinem Vorhaben abbringen. Er war es gewöhnt, bei jedem Wetter zu arbeiten. Er balancierte über das schräg abfallende Dach bis zur Regenrinne. Dort hockte er sich hin und befestigte das tragfähige Nylonseil an einer festen Stahlverstrebung. Lautlos seilte er sich ab.

Fiebrige Erregung packte ihn, als er an der regennassen Fassade hinunterglitt. Donnergrollen rollte über die Stadt, und grelle Blitze rissen den tiefen, schiefergrauen Himmel für Sekundenbruchteile auf und tauchten den Fassaden-Kletterer in ein gespenstisches Licht. Carlo brauchte keine Angst zu haben, entdeckt zu werden. Die Rückfront des *Park-Hotels* konnte man von den Nachbarhäusern nicht einsehen.

„Hoffentlich schläft die Klunkertante schon", murmelte er und glitt am vierten Stock vorbei. Eine Etage tiefer, genau unter ihm, hatte Hermine van Plunder ihr Zimmer.

Fassaden-Carlo genoß das Gefühl, endlich mal wieder in der Luft zu hängen. Dieser Nervenkitzel hatte ihm irgendwie gefehlt.

In Gedanken versunken ging Adi Ehrlich über den Hotelflur. Es war still. Die meisten Gäste befanden sich schon auf ihren Zimmern. Es war kurz nach Mitternacht. Eigentlich gab es keinen Grund, zu dieser späten Stunde noch durch das Hotel zu streifen.

Irgendwie jedoch war Adi von einer merkwürdigen inneren Unruhe erfüllt, die er sich selbst nicht erklären konnte. Die letzten beiden Tage waren ein voller Erfolg für sie alle gewesen und ohne jeglichen unerfreulichen Zwischenfall verlaufen.

Alles lief glatt.

Zu glatt für Adis Geschmack.

Beinahe wäre Adi der Trickser am Flurfenster vorbeigegangen, ohne etwas zu bemerken. Aus den Augenwinkeln registrierte er, daß sich draußen vor dem Fenster etwas bewegte.

Adi fuhr herum und starrte in die regnerische Nacht hinaus. Er kniff die Augen zusammen, doch das dünne, kaum sichtbare Seil blieb.

„Also doch!" murmelte er grimmig. Er brauchte nicht lange zu überlegen, um zu wissen, was gespielt wurde. Er erinnerte sich jetzt wieder an den sehnsüchtig-verträumten Ausdruck auf dem Gesicht des Barons, als dieser ihm von Hermine van Plunder erzählt hatte.

Fassaden-Carlo! durchzuckte es ihn.

Adi Ehrlich überlegte kurz, was er unternehmen sollte. Er konnte nur hoffen, daß Carlo noch nicht in das Zimmer der steinreichen Walküre eingedrungen war. Aber das würde er ja sofort herausbekommen!

Lautlos öffnete Adi Ehrlich das Fenster. Der Wind heulte im Rahmen. Regen klatschte trommelnd auf die Fensterbank. Adi lehnte sich vorsichtig hinaus. Ein spöttisches Lächeln glitt über sein Gesicht, als er Fassaden-Carlo knapp einen Meter unter sich baumeln sah.

Adi Ehrlich griff in die Hosentasche, zog ein Taschenmesser hervor und klappte es auf.

„Soll ich dir den Regenschirm halten?" fragte Adi der Trickser freundlich, als wäre überhaupt nichts passiert.

Zu Tode erschrocken blickte Fassaden-Carlo nach oben. Sein Griff lockerte sich durch den Schock etwas, und er rutschte unbeabsichtigt einen Meter tiefer.

„Adi!?" stieß er ächzend hervor.

„Ich wußte gar nicht, daß du so in Regennächte vernarrt bist", sagte Adi mit beißendem Spott.

„Ich ... ich ... wollte ... mich nur ... ein wenig fit halten", stammelte Carlo betroffen.

„So, fit wolltest du dich halten." Adi nickte, als würde er ihm die Lüge abnehmen. „Eine kleine Trimm-dich-Aktion, nicht wahr?"

„Sport ist eine gesunde Sache", murmelte Carlo.

„Aber was du da treibst, ist weniger gesund."

Carlo lächelte schief. „Keine Sorge, das Seil hält was aus, Adi."

„Da bin ich aber mal gespannt", erwiderte der Ganoven-Boß und setzte die Klinge des Messers an das Seil. „Bin wirklich gespannt", wiederholte er.

Fassaden-Carlo wurde aschfahl im Gesicht. „Um Himmels willen, nimm das Messer vom Seil!" keuchte er erschrocken. Er begann hastig nach oben zu klettern.

„Stopp!" rief Adi gedämpft. „Erst einmal wollen wir die Sache hier klären!"

„Mach keinen Blödsinn, Adi!" beschwor Fassaden-Carlo ihn. „Wenn das Seil reißt, bin ich erledigt!"

„Wir sind allesamt erledigt, wenn du dich weiterhin so verhältst wie jetzt!" fuhr Adi ihn scharf an. „Wir hatten ausgemacht, daß ab jetzt keine krummen Sachen mehr laufen. Und versuch bloß nicht noch mal, mir was von Fitneßtraining zu erzählen!"

Carlo bekam es mit der Angst zu tun. „Ich weiß wirklich nicht, was in mich gefahren ist. Es ist einfach so über mich gekommen. Ich ... ich ... wollte mir die Steine nur mal ansehen!" beteuerte er.

„Natürlich." Adis Stimme ließ keinen Zweifel, daß er ihm kein Wort glaubte.

„Nimm das Messer weg und laß mich hoch!" flehte Carlo.

Adi bluffte weiter. „Erst gibst du mir dein Ehrenwort, daß du so etwas nie wieder versuchst!" verlangte er.

Mit einem ekelhaft flauen Gefühl in der Magengegend baumelte Fassaden-Carlo zwischen Himmel und Erde. Mit weit aufgerissenen Augen starrte er auf die Stelle, wo die Klinge das Nylonseil berührte.

„Du hast mein Ehrenwort!" krächzte er.

„Schwöre bei allem, was dir heilig ist!" Adi wußte, daß das eigentlich nicht viel half. Vermutlich kannte Carlo nichts, was ihm heilig war.

„Ich schwöre!" keuchte Carlo. „Und jetzt laß mich endlich hoch!"

Adi nahm das Messer weg. „Okay, ich will noch mal Gnade vor Recht ergehen lassen!"

So flink wie diesmal war Fassaden-Carlo noch nie in seinem Leben ein Seil hochgeklettert. Mit einem Seufzer unendlicher Erleichterung schwang er sich über die Fensterbrüstung zu Adi in den Flur.

„Mann, du hast mir einen ganz schönen Schreck eingejagt", beschwerte er sich nun, da er außer Gefahr war.

Adi Ehrlich sah ihn scharf an. „Du bringst uns mit solchen Mätzchen um Kopf und Kragen! Klicker wartet doch bloß darauf, daß bei uns im Hotel irgend etwas Verdächtiges passiert. Wir wären im Handumdrehen in der Zelle gelandet, wenn diese van Plunder morgen ihren Schmuck vermißt hätte. Ist dir das denn nicht klar?!"

Fassaden-Carlo ließ die Schultern hängen. „Du hast ja recht, aber wenn du diese funkelnden Klötze an ihrem Hals gesehen hättest . . ."

„Ich will sie gar nicht sehen!" erwiderte Adi scharf. „Ich will, daß unser Hotel sich den hervorragenden Ruf erwirbt, von dem der Baron stets spricht. Und jetzt sieh zu, daß das Seil verschwindet."

„Du wirst doch den anderen nichts von heute nacht erzählen, oder?" fragte Fassaden-Carlo ängstlich und zitterte plötzlich. Er fürchtete die Blamage.

„Eigentlich müßte ich es tun", antwortete Adi Ehrlich streng. „Es wäre eine Warnung, ein abschreckendes Beispiel für sie."

„Adi! Wir sind doch immer gute Freunde gewesen!" beschwor ihn Carlo. „Das kannst du mir einfach nicht antun. Ich habe draußen am Seil schon genug gelitten."

Adi Ehrlich runzelte die Brauen. „Okay, ich werde diesmal noch nichts davon verraten, Carlo. Aber das war deine letzte Chance. Wir sitzen alle in einem Boot, vergiß das nicht. Wenn einer querschießt, sind wir alle reif. Und dann triumphiert Kommissar Klicker.

„Ich hab's begriffen. Du kannst dich auf mich verlassen", versicherte Fassaden-Carlo. Mit gequältem Lächeln nickte er Adi zu und hastete die Treppe hoch, um das verräterische Seil einzuholen.

Kopfschüttelnd setzte Adi der Trickser seinen nächtlichen Rundgang fort. Mit solchen Zwischenfällen hatte er insgeheim gerechnet. Und er hatte das fatale Gefühl, als würde es bei diesem einen leider nicht bleiben.

Er sollte sich nicht getäuscht haben.

Es glitzert im Mehltopf

Blacky bekam Augen, die so groß wie seine blankpolierten Pfannen waren. Ihm blieb die Luft weg. Fasziniert starrte er auf das Brillanthalsband. Das Funkeln und Gleißen der geschliffenen Edelsteine blendete ihn beinahe.

„Na, wie gefällt es dir?" erkundigte sich der Baron aufgeregt.

Blacky schluckte. „Bei meiner Hehlerehre, solch ein Stück ist mir während meiner langjährigen Berufszeit noch nie unter die Lupe gekommen!" stieß er beeindruckt hervor. „Und du kannst mir glauben, daß schon so manch kostbares Schmuckstück durch meine Finger gegangen ist."

„Was würde man auf dem Markt wohl dafür bekommen?" wollte der Baron wissen.

„In Hehlerkreisen?"

„Richtig."

„Laß sehen." Mit zitternden Händen nahm Blacky das Brillantcollier entgegen und trat ans Küchenfenster, um es eingehend in Augenschein nehmen zu können. Das Feuer der Steine berauschte ihn.

„Na?" Der Baron wurde ungeduldig, als Blacky außer langgezogenen Seufzern und einem merkwürdigen Ächzen weiter nichts von sich gab.

„Erstklassige Arbeit ... Brillanten erster Wahl ... Phantastischer Schliff!" murmelte er im Telegrammstil. „Einmalig! Nicht zu fassen ... Zauberhaft!"

„Wieviel?" drängte Heiner von Hohenschlaufe.

Verwirrt blickte Blacky ihn an. Er war wie in Trance. „Was?

„Erstklassige Arbeit!
Brillanten erster Wahl!
Phantastischer Schliff!"
schwärmte Blacky

Ach so . . . ja, natürlich. Hunderttausend würde ich sagen."

„Ist es wert?"

„Es ist mindestens das Doppelte wert", stellte Blacky fast empört fest. „Aber hunderttausend könnte man unter der Hand erzielen. Natürlich müßten die Brillanten herausgebrochen und umgeschliffen werden, bevor man sie zum Kauf anbietet."

„Hunderttausend." Der Baron wiederholte die Summe verzückt.

Erschrecken trat plötzlich auf das Gesicht des ehemaligen Hehlers und jetzigen Hotelkochs. „Mein Gott, wo hast du das Collier überhaupt her?" keuchte er. „Du hast doch nicht etwa . . ."

„Doch, ich habe", sagte der Baron, als Blacky erschrocken abbrach. „Ich konnte einfach nicht widerstehen, Blacky. Als ich Hermine van Plunder vorhin das Frühstück brachte, sah ich das Collier in der geöffneten Schmuckkassette in ihrer Schublade."

„Du bist verrückt!" stieß Blacky hervor. „Sie wird das Collier vermissen und die Greifer alarmieren! Dann sind wir erledigt, Baron!"

Heiner von Hohenschlaufe schüttelte lächelnd den Kopf. „Sie wird es nicht vermissen, Blacky. Ich habe gehört, wie sie mit einem ihrer Verehrer telefoniert hat. Sie sprachen von dem Collier."

„Und?" fragte Blacky atemlos.

„Sie versicherte ihrem Gesprächspartner, daß sie das Brillantcollier erst nächste Woche wieder umlegen würde. Zu ihrer Hochzeit." Das Lächeln des Barons wurde noch um eine Spur breiter. „Wir haben also eine Woche Zeit."

„Wofür?" krächzte Blacky, dem der Schweiß ausbrach.

„Um eine Imitation anfertigen zu lassen und sie mit dem echten Collier zu vertauschen", unterbreitete ihm Heiner von Hohenschlaufe seinen gerissenen Plan. „So etwas läßt sich doch machen, nicht wahr?"

„Natürlich", antwortete Blacky und überlegte fieberhaft. „Nur ein Fachmann kann heutzutage Industriediamanten von echten unterscheiden. Das ließe sich machen. Aber es ist trotzdem ein verdammt großes Risiko. Was ist, wenn sich die Tante nicht an ihr Versprechen hält?"

„Sie wird sich daran halten", erwiderte der Baron mit Nachdruck. „Ich kenne mich mit Frauen aus, Blacky. Sag mal, du willst diese einmalige Gelegenheit doch wohl nicht ungenutzt verstreichen lassen, oder?"

Blacky seufzte gequält und blickte auf das funkelnde Collier. „Ich habe wirklich die allerbesten Vorsätze gehabt. Aber in diesem Fall kann ich nicht widerstehen!

Der Baron atmete erleichtert auf. „Dann machen wir also das Geschäft?"

„Ja ... Ich bin mit von der Partie, aber mit Furcht und Zittern ...“ gab Blacky der ungeheuren Versuchung nach.

„Das wird auch das letzte Ding sein, das wir drehen“, versprach der Baron. „Sozusagen der krönende Abschluß!“

Blacky zuckte zusammen, als er auf einmal Adis Stimme vor der Küchentür vernahm. „Um Himmels willen, der Boß!“ stieß er hervor.

„Wir müssen das Collier verstecken!“ Gehetzt sah sich Heiner von Hohenschlaufe um.

„In den Mehltopf!“ Blacky riß den Deckel von einem hohen Aluminiumbehälter, der auf der Küchenanrichte stand. Das Collier flog hinein, und Mehlstaub wirbelte hoch.

Sie hatten das Schmuckstück keine Sekunde zu früh versteckt. Mit ärgerlicher Miene stürmte Adi Ehrlich in die Küche und stemmte die Hände in die Hüften, als er Blacky und den Baron erblickte.

„Seid ihr noch zu retten?“ fuhr er sie knurrig an.

Blacky und der Baron wurden blaß, glaubten sie sich doch schon ertappt.

„Im Frühstücksraum werden die Leute ungeduldig!“ sagte Adi aufgebracht. „Wo bleiben die Eier, zum Teufel noch mal?!“

„Die Eier?“ stammelte der Baron.

Blacky atmete tief aus. „Die Eier ... Natürlich ... Um Gottes willen!“ stieß er hervor und stürzte zum Herd. Die 4-Minuten-Eier hatte er völlig vergessen ... Sie waren inzwischen bestimmt steinhart geworden! Und die Spiegeleier in der Pfanne waren auch nicht mehr zu retten. Es roch angebrannt ...

Adi wollte seinem Unmut gerade Luft machen, als etwas Weiches an seinen Beinen vorbeihuschte und Bodo Brocken im nächsten Moment die Schwingtüren zur Küche aufstieß.

„Al Capone!“ rief Bodo aufgeregt. „Komm her! Ich finde das gar nicht lustig ... Gib sofort den Schlüssel her!“ Er kroch auf allen vieren unter den großen Tisch in der Küche, unter den der Kater gehuscht war.

„Was ist denn jetzt schon wieder passiert, Bodo?" wollte Adi Ehrlich wissen.

„Al Capone hat sich den Wagenschlüssel eines Gastes geschnappt!" fluchte Bodo und stieß die Stühle zur Seite, als der Kater aus seiner Reichweite sprang. Al Capone hatte sichtlich Spaß an der Verfolgungsjagd. Für ihn war es ein tolles Fangspiel.

„Sei brav!" Bodo versuchte es mit gutem Zureden. „Du willst mir doch keine Schwierigkeiten machen, nicht wahr? Nun sei lieb und gib den Schlüssel her ... Du hast mich nun schon genug herumgejagt ... Na komm!"

Der kleine Kater dachte jedoch nicht daran, den Schlüssel, den er im Maul trug, loszulassen. Er wich Bodos Pranken geschickt aus, sprang auf einen Stuhl und machte einen gewaltigen Satz auf die Anrichte hinüber.

Bodo der Bomber kam mit hochrotem Gesicht unter dem Küchentisch hervor.

„Paßt auf!" schrie Blacky, als Bodo und Adi der Katze von zwei Seiten auf den Pelz rückten. Al Capone hockte direkt neben dem Mehlbehälter!

„Jetzt!" rief Adi.

Bodo der Bomber und Adi der Trickser streckten ihre Hände blitzschnell nach Al Capone aus. Al Capone jedoch war um einen Bruchteil schneller. Mit einem eleganten Satz entwischte der Kater auf ein Regal.

„Nein!" schrie der Baron entsetzt auf, als Bodos Hände ins Leere griffen und gegen den Mehlbehälter stießen.

Blacky sah den Behälter kippen und versuchte im letzten Moment noch, ihn aufzufangen.

Der Behälter rutschte über die Kante, schlug gegen Blackys Schulter und fiel scheppernd zu Boden. Das Mehl ergoß sich über den gekachelten Boden und hüllte die Männer in weißpulvrige Wolken.

„Um Gottes willen!" stöhnte der Baron.

Bodo Brocken hustete fürchterlich. Er und Blacky waren über und über mit Mehlstaub bedeckt. Ein Bild zum Lachen, wenn . . .

Ja, wenn das Brillantcollier nicht gewesen wäre!

Das Halsband lag genau vor Adis Füßen . . .

Fassungslos starrte der Ganoven-Boß auf das Schmuckstück. Im ersten Moment glaubte er seinen Augen nicht trauen zu dürfen. Er bückte sich und hob das Collier auf.

„Das darf doch nicht wahr sein!" Seine Stimme war mühsam beherrscht.

Durch die Rufe und das Scheppern angelockt, kamen nun auch Tino Tran und Fassaden-Carlo in die Küche. Tino begann schallend zu lachen als er die Bescherung in der Küche sah. Doch dann bemerkte er das Brillantcollier in Adi Ehrlichs Händen.,

„Träume ich?" fragte er überwältigt.

„Schön wäre es!" stieß Adi hervor. Ein wütender Ausdruck trat in seine Augen, als er fragte: „Versucht nicht, mir irgendwelche Märchen zu erzählen. Ich weiß, daß dieses Collier Hermine van Plunder gehört. Wer von euch hat es gestohlen? Raus mit der Sprache."

Der Baron verlor plötzlich viel von seiner strahlenden, attraktiven Ausstrahlung. „Äh . . . ich . . . ich habe es genommen", gestand er. „Ich wollte es Blacky nur mal zeigen, und dann wieder zurückbringen, Boß . . ."

„Und deshalb habt ihr es im Mehlbehälter versteckt, nicht wahr?" Adis messerscharfer Spott ließ Blacky und den Baron in sich zusammenschrumpfen.

„Himmel, ist das ein Fang!" rief Bodo begeistert. Al Capone und der Schlüssel waren für einen Augenblick vergessen. „Das bringt uns bestimmt viel ein."

„Worauf du Gift nehmen kannst!" knurrte Adi mit wutbebender Stimme. „Viel Ärger bringt uns das Glanzstück des Barons ein. Und wenn wir viel Pech haben, sogar ein paar gemütliche Jahre hinter Gittern. Seid ihr denn von allen guten Geistern verlassen? Habt ihr denn nicht begriffen, worum es geht, Jungs? Die Polizei kann jeden Augenblick auftauchen. Dann sind wir geliefert!"

Betretenes Schweigen.

Sogar Al Capone schien zu begreifen, daß jetzt nicht der Augenblick für Spiele war und kam mit eingezogenem Schwanz zu Bodo. Hell klirrte der Schlüssel zu Boden, als der Kater das Maul öffnete und sein Beutestück freiwillig hergab.

„Was seid ihr doch für Hornochsen", sagte Adi der Trickser schließlich. Es klang nicht wütend, eher resignierend. Irgendwie verstand er seine Freunde. Solch einer Versuchung zu widerstehen, nachdem man jahrelang nach solchen Gelegenheiten Ausschau gehalten hatte, verlangte wahrlich enorme Überwindung. Aber sie hatten sich entschieden! Alle!

„Was machen wir denn jetzt?" fragte Tino Tran kleinlaut.

„Wir müssen das Collier wieder in ihr Zimmer schmuggeln", erklärte Adi Ehrlich. „Hoffentlich ist es noch nicht zu spät."

„Ich habe uns die Suppe eingebrockt, und ich werde sie auch auslöffeln", erklärte Heiner von Hohenschlaufe schuldbewußt. „Hermine van Plunder wird nichts bemerken."

„Und wie willst du das anfangen?" wollte Blacky wissen.

„Wir locken sie mit einem getürkten Anruf herunter in die Hotelhalle", schlug der Baron vor. „Während sie hier unten ist, gehe ich in ihr Zimmer und lege das Collier wieder in die Schublade."

Adi Ehrlich nickte. „Das könnte klappen."

Es klappte auch wirklich!

Von der Rezeption aus informierte Tino Hermine van Plunder, daß ein Herr in der Lobby auf sie wartete und sie zu sprechen wünsche. Hermine fiel auf den Trick herein. Und während Tino bedauernd mitteilte, daß der Herr, der seinen Namen leider nicht genannt habe, plötzlich verschwunden sei, brachte der Baron das Collier zurück.

Daß Hermine van Plunder Tino Tran empört Vorhaltungen machte, weil er den Herrn nicht zurückgehalten hatte, nahm der Ganove gern in Kauf. Er war froh, daß alles so glattgegangen war.

Höchste Alarmstufe

Die nächsten Tage verliefen ohne Zwischenfälle. Adi Ehrlich sorgte dafür, daß seine Freunde nicht auf dumme Gedanken kamen.

Zum Glück konnten sie sich über mangelnde Arbeit nicht beklagen. Das *Park-Hotel* war stets bis auf wenige Zimmer ausgebucht. Natürlich passierten noch täglich Pannen. Bodo der Bomber mußte sich erst daran gewöhnen, Gäste nicht wie Trainingspartner im Ring zu behandeln und nicht im Sturmschritt mit dem Gepäck davonzurasen.

Auch der Baron hatte Schwierigkeiten. Es war ihm zu sehr in Fleisch und Blut übergegangen, Frauen schöne Augen und blumige Komplimente zu machen. Das gefiel vielen Damen sehr, weniger jedoch ihren Begleitern.

Blacky dagegen lebte in der Küche förmlich auf. Kochen war schon immer seine Leidenschaft gewesen, die er nun richtig ausleben konnte. Einer seiner größten Bewunderer – wenn auch anfangs widerwillig – war Kommissar Nagel!

Kommissar Klicker tauchte täglich im *Park-Hotel* auf. Er hegte noch immer starkes Mißtrauen. Und da er Junggeselle war und für gutes Essen und guten Wein eine Menge übrig hatte, verband er das Angenehme mit dem Nützlichen. Er kam ins *Park-Hotel,* um gut zu speisen und gleichzeitig ein Auge auf seine Pappenheimer zu werfen.

Doch Klickers Mißtrauen verschwand von Tag zu Tag immer mehr. Er sah mit eigenen Augen, welche Mühe sich die ehemaligen Ganoven machten. Insgeheim war er schon bereit, ihnen zu glauben.

Eines Abends, einen Tag vor der Diamantenmesse, schlurfte der Glatzkopf pünktlich auf die Minute in den kleinen, gemütlichen Speisesaal und setzte sich an seinen Stammtisch. Er trug wie immer seinen abgewetzten Trenchcoat und kaute auf einer kalten Zigarre, weil er sich das Rauchen abgewöhnen wollte.

Blacky eilte sofort aus der Küche. Fachmännisch unterhielten sich die beiden Genießer über die Speisen, die Blacky anzubieten hatte.

„Sehr zu empfehlen ist heute das Leskovacker Geschnetzelte", schwärmte Blacky. „Zartes geschnetzeltes Schweinefilet mit Reis. Dazu Paprikaschoten in Streifen und abgezogene Tomaten. Eine Delikatesse, Herr Kommissar! Ein würziger Traminerwein rundet das Gericht perfekt ab."

Klicker nickte wohlwollend. „Ausgezeichnet, Blacky. Sie sind als Koch noch besser als in Ihrem alten Beruf. Und auch da waren Sie nicht schlecht", fügte er grimmig hinzu.

Blacky strahlte. „Ich werde Sie nicht enttäuschen, Kommissar", versicherte er.

Adi Ehrlich und der Baron kümmerten sich persönlich um das Wohlergehen von Kommissar Klicker. Sie hatten allen Grund, wollten sie ihn doch von ihren ehrlichen Absichten überzeugen.

Adi Ehrlich fiel auf, daß der Kommissar an diesem Abend einen recht bedrückten Eindruck machte. Er schien Sorgen zu haben. Adi sprach ihn darauf an und erhielt zu seinem Erstaunen auch eine offene Antwort.

„Ich mache mir wirklich Sorgen", gestand der Glatzkopf und ließ es sich nicht nehmen, den Rest der köstlichen Soße mit einem Stück Weißbrot aufzutitschen. „Einer meiner Leute hat mir berichtet, daß zwei üble Burschen im Anmarsch sind."

Adi horchte auf. „Gangster?"

Klicker machte ein grimmiges Gesicht. „Im Vergleich zu

denen sind Sie und Ihre Freunde reinste Waisenknaben", berichtete er. „Jonathan und Markus Schwarz nennen sich die Brüder. Ihre biblischen Namen sind das einzig Positive an ihnen."

„Was haben die beiden denn auf dem Kerbholz?" wollte Adi wissen. Fassaden-Carlo hatte sich inzwischen zu ihnen gesellt und hörte aufmerksam zu.

„Eine erschreckende Latte von höchst gemeinen Verbrechen: Einbruch, schwere Körperverletzung, Rauschgifthandel! Man konnte ihnen nie etwas nachweisen. Die Gebrüder Schwarz sind wahre Meister der Verkleidung. Sie wechseln ihr Aussehen wie andere ihre Hemden. Das macht es so verteufelt schwer, sie zu stellen. Bei ihnen nutzt ein Steckbrief überhaupt nichts. Dazu sind sie äußerst gefährlich. Sie schrecken nicht davor zurück, brutale Gewalt anzuwenden. Sie haben schon zahlreiche schwere Körperverletzungen auf dem Gewissen."

„Pfui Teufel! Fassaden-Carlo war ehrlich empört.

„Ja! Pünktlich zur Diamantenmesse sind die beiden hier in Steinenbrück aufgetaucht", knurrte der Kommissar. „Als ob ich nicht so schon genug Arbeit hätte. Jetzt auch noch die Gebrüder Schwarz!" Er seufzte. „Ich wollte Sie nur warnen, Adi."

„Warnen? Mich? Weshalb?"

„Sie steigen meist in Hotels als adrett gekleidete Geschäftsleute ab, peilen die Lage und überfallen nachts zahlungskräftige Hotelgäste", berichtete Klicker. „Sie zwingen ihre Opfer unter Gewaltanwendung, Ihnen Barschecks auszustellen. Während der eine von ihnen das Opfer bewacht, löst der andere am nächsten Morgen die hohen Schecks ein. Dann knebeln und fesseln sie ihr Opfer und verschwinden über alle Berge."

„Das ist wirklich übel", meinte Adi.

„Die Burschen sind äußerst gefährlich. Sie haben Schußwaffen und benutzen sie auch. Wenn ich nur eine einigermaßen vernünftige Spur hätte", seufzte der Kommissar und spülte seinen Kummer mit einem Schluck Wein hinunter. „Aber die Brüder sind so gerissen, daß man ihnen erst dann auf die Schliche kommt, wenn es schon zu spät ist."

„Wir werden die Augen offenhalten!" versprach Adi.

Der Beamte zog die Augenbrauen hoch. „Sie?" fragte er gedehnt.

„Wir haben einen Schlußstrich unter unsere Vergangenheit gezogen", bekräftigte Adi noch einmal mit Nachdruck. „Wir sind ehrbar geworden, Kommissar, auch wenn Sie da noch immer Ihre Zweifel haben."

„Wäre fast zu schön, um wahr zu sein", murmelte Klicker.

„Aber auch sonst würden wir mit Gewaltverbrechern keine gemeinsame Sache machen, Kommissar", bestätigte Fassaden-Carlo.

„Nun, eine gewisse Ganovenehre hattet ihr ja immer", gab der Glatzkopf widerwillig zu. „Das kann sogar ich euch nicht absprechen."

Adi Ehrlich versammelte kurz darauf seine Freunde im kleinen Zimmer hinter der Rezeption. Er berichtete ihnen, was er vom Kommissar erfahren hatte.

„Gehört habe ich von diesen Gangstern schon mal", sagte der Baron nachdenklich, „aber begegnet sind sie mir noch nie. Glaubst du, sie könnten womöglich bei uns im *Park-Hotel* absteigen?"

„Möglich ist alles", antwortete Adi Ehrlich. „Haltet also die Augen auf. Allzu viele Hotels gibt es hier ja nicht. Es würde unserem Ruf ungeheuer schaden, wenn gerade bei uns die Gebrüder Schwarz zuschlagen würden. Und außerdem würde es uns ungemein helfen, wenn es uns gelänge, die Gangster unschädlich zu machen. Damit könnten wir ein für allemal den Glatzkopf überzeugen, daß wir dem Ganovenleben abgeschworen haben."

„Ich werde Himmel und Erde in Bewegung setzen, um etwas zu erfahren", versprach Blacky. „Genügend Freunde habe ich ja in der Unterwelt."

„Das gilt für uns alle", warf der Baron ein. „Wenn wir die beiden nicht aufstöbern, dann gelingt es keinem."

„Ab jetzt also höchste Alarmstufe!" schärfte Adi ihnen noch einmal ein, bevor sie wieder an die Arbeit gingen.

Von dieser Stunde an beherrschte die sechs Ganoven nur noch ein einziger Gedanke: Würden die Gangster bei ihnen im *Park-Hotel* auftauchen?

Al Capone

Adi Ehrlich saß über die Einkaufslisten gebeugt, als Bodo der Bomber am Nachmittag des nächsten Tages zögernd ins Büro trat. Adi studierte so konzentriert die Listen, daß Bodo sich dreimal laut räuspern mußte, um Adi auf sich aufmerksam zu machen.

Unwillig über die Störung drehte sich Adi um. „Bodo? Was gibt es denn Wichtiges, daß du mich störst? Ich versuche krampfhaft, aus diesen Listen schlau zu werden . . ."

Bodo zuckte seine breiten Schultern. „Es ist wegen Al Capone . . .", begann er umständlich.

Adi verdrehte die Augen. „Um Gottes willen!" stöhnte er geplagt. „Ich weiß, daß du sehr an dem Kater hängst. Aber wenn Al Capone Haarausfall oder sonstwas hat, erzähl das einem anderen. Sonst fallen mir noch die Haare aus!"

Bodo Brocken rieb sich über das Kinn. „Ich dachte nur, es würde dich interessieren, was Al Capone gefunden hat", sagte er leicht eingeschnappt.

„Was hat er denn gefunden?" Adi schien nicht übermäßig interessiert und wandte sich wieder seinen Listen zu. „Ein ranziges Stück Käse oder was?"

„Ein Stück Schaumstoff."

„Was?" Entgeistert starrte der Boß den Schwergewichtler an.

Bodo kramte in seiner Westentasche. „Das hier. Ich hab so etwas mal beim Baron gesehen, als er sich verkleidet hat. Er hat sich zwei solche Dinger in den Mund geschoben, um dicke Backen zu bekommen."

Elektrisiert fuhr Adi Ehrlich herum und riß Bodo das Stück Schaumstoff aus der Hand. Es war nicht größer als eine Streichholzschachtel. Die eine Seite war abgerundet und die andere glatt.

„Wo hat Al Capone das her?" fragte Adi atemlos. „Vom Baron vielleicht?"

Bodo verneinte. „Al Capone kam damit aus Zimmer 304. Ich habe es genau gesehen!"

Adi starrte auf das linke Schaumstoffstück. Die Gedanken jagten sich hinter seiner Stirn. Solche Utensilien gebrauchten Schauspieler, um ihr Äußeres zu verändern. Mit zwei derartigen Einlagen konnte man aus einem hageren Gesicht ein pausbäckiges machen. Aber nicht nur Schauspieler benutzten solche Hilfsmittel – auch Ganoven!

„Die Gebrüder Schwarz!" murmelte Adi Ehrlich und sprang von seinem Stuhl auf. Er stürmte aus dem Büro und rannte Bodo Brocken beinahe um. Adi konnte gar nicht schnell genug zu Tino Tran kommen, der den Baron hinter der Rezeption vertrat.

„Sind heute zwei neue Gäste gekommen?" fragte er Tino aufgeregt. „Zwei adrett gekleidete Geschäftsleute, die ungefähr gleichaltrig sind?"

Tino blickte ins Gästebuch. „Wir haben heute sechs neue Gäste. Zwei Ehepaare . . ."

„Die kannst du vergessen", unterbrach Adi ihn.

„Dann bleiben nur noch Herr Krause und Herr Weiß!"

„Zimmernummer!" verlangte Adi.

„304 und 305", gab Tino Auskunft.

„Kamen sie zusammen an?"

Tino schüttelte den Kopf. „Herr Krause kam kurz nach dem

Mittagessen und Herr Weiß um vier, also vor einer Stunde." In seinen Augen blitzte es plötzlich auf. „Du glaubst doch nicht etwa . . ."

„Die Gebrüder Schwarz!" stieß Adi gedämpft hervor. „Sie könnten es sein. Hier. Das hat Al Capone aus Zimmer 304 entwendet!"

„Ein Mundfüller!" stieß Tino hervor.

„Trommle die Jungs zusammen!" trug Adi Ehrlich Bodo auf. „Jetzt wird es ernst. Wir müssen auf alles vorbereitet sein!"

Bodo Brocken eilte davon.

Zehn Minuten später hatten sich alle bei Adi eingefunden und begutachteten das Stück Schaumstoff. Die Männer bestürmten Tino und Adi mit Fragen.

„Die beiden Männer sind ungefähr Ende Dreißig. Ins Gästebuch haben sie sich als Vertreter eingetragen. Und gekleidet waren sie elegant, aber unauffällig", berichtete Tino Tran.

„Das könnten sie sein!" rief Blacky aufgeregt.

„Wir müssen Kommissar Klicker informieren!" sagte Fassaden-Carlo.

„Und was sollen wir ihm sagen? Daß wir einen vagen Verdacht haben?" Adi Ehrlich schüttelte den Kopf. „Unmöglich. Wir machen uns nur lächerlich. Wir brauchen Beweise!"

„Wir könnten ihre Zimmer durchsuchen", schlug Tino vor.

„Erstens ist das gesetzwidrig und zweitens nicht gerade erfolgversprechend", wies Adi den Vorschlag zurück. „Sie könnten nämlich Verdacht schöpfen. Nein, wir müssen uns etwas anderes einfallen lassen. Noch wissen wir ja gar nicht, ob sie wirklich die gesuchten Verbrecher sind."

Die Ganoven überlegten hin und her, was sie unternehmen sollten. Schließlich hatte der Baron einen glänzenden Einfall.

„Wir legen einen Köder aus!" schlug er vor. „Einer von uns spielt einen reichen Diamantenhändler. Wir müssen das nur so geschickt einfädeln, daß sie darauf hereinfallen."

„Immer vorausgesetzt, sie sind wirklich die Gebrüder

Schwarz", bemerkte Blacky.

„Das werden wir dann ja erfahren", meinte der Baron.

„Die Idee ist nicht schlecht", meinte Adi. „Wenn sie es nämlich nicht sind, dann haben wir uns vor niemandem blamiert. Aber wer soll den Geschäftsmann spielen?"

„Der Baron natürlich!" erklärte Fassaden-Carlo ohne lange zu überlegen. „Ihn können die beiden noch nicht gesehen haben. Er war ja bis vor ein paar Minuten noch in der Stadt. Außerdem wäre das für ihn eine Kleinigkeit, oder?"

Der Baron lächelte selbstsicher. „Die Rolle des Diamantenhändlers ist mir förmlich auf den Leib geschneidert. Ich werde euch eine erstklassige Vorführung bieten."

„Also abgemacht", sagte Adi kurz entschlossen. „Du machst das. Wir müssen nur einen geeigneten Zeitpunkt für deine ‚Ankunft' abpassen."

„Die beiden Herrn haben sich für das Abendessen bei uns angemeldet", sagte Tino Tran.

„Sehr gut. Sorg dafür, daß sie zusammen an einem Tisch sitzen", sagte Adi zu Tino. „Den Nebentisch reservieren wir für den Baron. Und nun laßt uns alle Einzelheiten genau durchsprechen. Nachher darf es keine Pannen geben."

Sie tüftelten einen Plan aus, der gar nicht schiefgehen konnte. Immer vorausgesetzt natürlich, die Männer auf Zimmer 304 und 305 waren wirklich die gefährlichen Gebrüder Schwarz . . .

Ein vornehmer Diamantenhändler

Nervös spielte Tino Tran mit dem Kugelschreiber. Immer wieder blickte er zum Aufzug hinüber. Wo blieben bloß die mutmaßlichen Gangster? Was war, wenn sie es sich anders überlegt hatten und nicht bei ihnen zu Abend aßen?

„Sie kommen!" zischte Carlo.

Tino gab Bodo Brocken an der Drehtür ein Zeichen. Der wiederum klopfte gegen die Scheibe. Das war für den Baron das verabredete Zeichen.

Als die Türen des Aufzuges zurückglitten und die beiden Männer erschienen, betrat der Baron die Hotelhalle. Bodo Brocken verbeugte sich tief und nahm ihm den teuren Lederkoffer ab. Den schwarzen Aktenkoffer gab der Baron jedoch nicht aus der Hand.

Adi Ehrlich eilte dem Baron entgegen. „Es ist uns eine Ehre, Herr Baron!" begrüßte er ihn so laut, daß die beiden Männer ihn hören mußten. „Ich hoffe, Sie hatten einen angenehmen Flug und werden morgen gute Geschäfte machen."

„Worauf Sie sich verlassen können", erwiderte Heiner von Hohenschlaufe von oben herab. „Ich habe in Amsterdam die besten Steine eingekauft. Sie werden reißenden Absatz finden."

„Davon bin ich überzeugt", sagte Adi Ehrlich mit gutgespielter Unterwürfigkeit. „Wir haben Ihnen natürlich wieder Ihr Lieblingszimmer Nummer 306 reserviert, Baron."

„Ausgezeichnet", erwiderte der Baron arrogant. „Ich hatte auch nichts anderes erwartet!"

„Haben Sie sofort irgendwelche Wünsche, Herr Baron?"

„Ein kleiner Imbiß würde mir ganz guttun", sagte Heiner von Hohenschlaufe und betrat fast gleichzeitig mit den beiden verdächtigen Männern den Speisesaal.

Es lief alles nach Plan.

Die Gäste aus Zimmer 304 und 305 wurden von Tino Tran an einen Tisch komplimentiert, während der Baron sich an den Nebentisch setzte.

„Soll ich den Koffer nicht doch besser in den Tresor legen?" erkundigte sich Adi Ehrlich leise, aber für die beiden Männer am Nebentisch immer noch laut genug.

Der Baron schüttelte kaum merklich den Kopf. „Von den Diamanten trenne ich mich grundsätzlich nicht. Ich passe schon gut auf sie auf, keine Sorge. Und nun bringen Sie mir bitte eine Flasche Champagner!"

Adi zuckte nicht mit der Wimper. „Wird sofort geschehen . . . Carlo! Champagner für den Baron!" rief er.

Heiner von Hohenschlaufe brauchte sich nicht sonderlich anzustrengen, die Rolle des arroganten, reichen Diamantenhändlers überzeugend zu spielen. Sie entsprach ganz seinem eigenen Selbstverständnis. Er beherrschte die gesamte Palette der überheblichen Bemerkungen und Gesten. Nur das Beste war für ihn gut genug. Blacky mußte ihm die erstklassigsten Vorspeisen und das zarteste Filet, das die Küche zu bieten hatte, servieren.

„Der Baron nimmt seine Rolle für meinen Geschmack allzuernst", knurrte Blacky verstimmt, als er mit immer neuen Wünschen konfrontiert wurde.

„Red nicht, sondern tisch auf, was er verlangt", brummte Adi. „Es muß echt aussehen."

„Das wird aber hübsch teuer", murrte Blacky, tat aber, was Adi von ihm verlangte.

Der Baron genoß das üppige Essen.

Adi Ehrlich blieb stets in der Nähe und beobachtete die mutmaßlichen Gangster am Nebentisch. Ihm fiel auf, daß sie verstohlen zum Baron hinüberblickten, miteinander aber kaum ein Wort wechselten. Aber das war ja auch nicht zu erwarten gewesen.

Genüßlich schlürfte der Baron seinen Champagner. Als Tino Tran schließlich die Teller abräumte, bestellte Heiner von Hohenschlaufe einen doppelten Espresso und ließ sich die kleine Holzkiste mit den teuren Zigarren reichen. Adi ehrlich suchte nach Streichhölzern, fand jedoch keine.

„Es geht schon", sagte der Baron lässig, zog einen Zehnmarkschein aus der Jackettasche und hielt ihn ins Feuer der Kerze, die auf dem Tisch stand. Mit dem brennenden Geldschein steckte er die Zigarre in Brand.

„Himmel, jetzt trägt der Baron aber eine Nummer zu dick

auf!" rief Fassaden-Carlo empört. Er beobachtete die Szene zusammen mit Blacky durch den Sehschlitz in der Küchentür.

„Erst das Essen, der Champagner und dann noch diese Geste des angeblich steinreichen Händlers!" schimpfte auch Blacky. „Und wir müssen das alles bezahlen. Das ist unser Geld, das er da verfeuert!"

„Dem werde ich was erzählen!" zischte Carlo.

Adi Ehrlich mußte sich auch zusammenreißen, um den Baron nicht wütend anzufahren. „Sonst noch einen Wunsch?" erkundigte er sich mit leicht warnendem Unterton in der Stimme, als wollte er sagen: „Jetzt reicht es aber!"

Der Baron jedoch dachte nicht im Traum daran, die günstige Gelegenheit nicht voll auszukosten. Er sog an der dicken Havanna-Zigarre und nickte gnädig. „Der Champagner war gar nicht so übel . . ."

Blacky schlug sich mit der flachen Hand vor die Stirn. „Gar nicht so übel!" stöhnte er. „Fünfzig Mark kostet uns die Flasche im Einkauf!"

„. . . bringen Sie mir noch eine", fuhr der Baron fort. „Den Rest nehme ich dann auf mein Zimmer. Sozusagen als Schlaftrunk. Ich werde heute früh zu Bett gehen. Morgen liegt ein anstrengender Tag vor mir!"

„Sind Sie sicher, daß Sie . . .", begann Adi.

Der Baron hob indigniert die Augenbrauen. „Selbstverständlich bin ich mir sicher. Nun bringen Sie den Champagner! Sie wissen doch, daß ich nichts anderes trinke."

Adi riß sich zusammen und unterdrückte seinen Unwillen. „Natürlich, Herr Baron!"

Die zweite Flasche wurde am Tisch des Barons entkorkt. Heiner von Hohenschlaufe trank noch zwei Gläser, dann zeichnete er die hohe Rechnung ab und drückte Adi fünfzig Mark von dem Geld, das er vorher von ihm erhalten hatte, als Trinkgeld in die Hand. Gut sichtbar für die Männer am Nebentisch, selbstverständlich.

„Bringen sie mir noch eine Flasche Champagner!"
befahl Baron Heiner von Hohenschlaufe

„Ich bin, wie immer, sehr zufrieden", näselte der Baron gnädig und erhob sich.

„Es war eine Ehre für unser Haus", sagte Adi und zwang sich zu einem dankbaren Lächeln.

Mit erhobenem Haupt verließ Heiner von Hohenschlaufe den Speisesaal und betrat den Aufzug. Adi zwängte sich noch im letzten Augenblick zwischen den sich schließenden Türen hindurch. Der Lift ruckte an.

„Bist du denn noch zu retten!" machte Adi ihm nun Vorwürfe. „Das mit der zweiten Flasche Champagner und dem verbrannten Geldschein war nicht abgemacht gewesen!"

Der Baron fühlte sich zu Unrecht angegriffen. „Jeder Schauspieler hat das Recht, seine Rolle ein wenig zu interpretieren!"

„Die Summe auf der Rechnung ist astronomisch hoch! Es war verabredet, daß du nur einen kleinen Imbiß nehmen würdest!"

Der Baron zuckte mit den Achseln. „Das erschien mir nicht wirkungsvoll genug."

„Du hast uns ganz schön reingelegt!" knurrte Adi.

„War ich gut oder nicht?" fragte der Baron beleidigt.

„Du warst erstklassig", mußte Adi widerwillig gestehen.

„Na also", der Baron lächelte zufrieden. „Das war doch unsere Absicht, nicht wahr? Wenn ich eine Rolle spiele, dann auch richtig."

„Das haben wir gemerkt!"

Adi und der Baron warteten im Zimmer 306 auf Tino und Carlo, die zwanzig Minuten später kamen. Sie bedachten den Baron mit ärgerlichen Bemerkungen, die Adi jedoch schnell abblockte. Was geschehen war, ließ sich nicht mehr ändern . . .

„Die beiden Typen haben sich gerade wieder auf ihre Zimmer begeben", berichtete Tino dann. „Wenn sie wirklich die Gebrüder Schwarz sind, werden sie sich diese einmalige Gelegenheit kaum entgehen lassen."

„Der Überzeugung bin ich auch." Adi nickte. „Bereitet alles vor. Ich informiere inzwischen den Kommissar. Wir müssen ihn dabeihaben. Die Sache ist einfach zu gefährlich. Verhaltet euch aber bitte still und unauffällig!"

In fiebriger Eile wurden die letzten Vorbereitungen getroffen. Der Köder war ausgelegt. Jetzt brauchten die Gangster bloß noch in die Falle zu tappen . . .

Sechs Ganoven auf Gangsterjagd.

Durch den Gardinenspalt vor dem Fenster fiel fahles Mondlicht in das Hotelzimmer. Dennoch war es so dunkel, daß man seine Augen anstrengen mußte, um die Dunkelheit zu durchdringen und die Konturen der Möbel zu erkennen.

Ein Stuhl knarrte über das Parkett.

„Tino!" zischte Adi, der mit dem Kommissar hinter der spanischen Trennwand lauerte. „Du sollst dich still verhalten und kein Stuhlrücken veranstalten!"

„Mein Bein ist eingeschlafen!" jammerte Tino.

„Dann laß es weiterschlafen!" knurrte es aus dem Badezimmer. Das war Blacky. „Du wolltest ja unbedingt dabeisein!"

„Wir warten schon seit Stunden, und die Gangster haben sich noch immer nicht blicken lassen", beklagte sich Tino.

„Es ist noch nicht mal ein Uhr", ließ sich Kommissar Klicker leise vernehmen. „Und wenn überhaupt etwas an eurer Story dran ist, müssen sie bald kommen."

„Sie werden kommen!" versicherte Adi, obwohl er inzwischen selbst Zweifel bekommen hatte. Sie mußten einfach kommen, sonst würde er, Adi Ehrlich, sich bis auf die Knochen blamieren.

„Da bin ich aber mal gespannt", brummte der Kommissar und ließ seine kalte Zigarre zwischen den Mundwinkeln hin- und herwandern. „Sechs Ganoven, die auf Ganovenjagd gehen. Ich weiß . . ."

„Auf Gangsterjagd!" korrigierte Adi ihn. „Das ist ein himmelweiter Unterschied."

„Jetzt schläft auch das andere Bein ein!" meldete sich Tino wieder mit wehklagender Stimme.

„Stell dich tot!" schlug Blacky vor. „Dann merkst du überhaupt nichts mehr!"

„Ich find's hier ganz gemütlich . . . und Al Capone auch", kam eine stark gedämpfte Stimme aus dem hohen Wandschrank. Dort hockte nämlich Bodo der Bomber mit seinem Kater. Sie wollten sich das Ereignis genausowenig entgehen lassen wie die anderen.

„Wenn ihr weiter so herumquatscht, schlafe ich nie ein!" beschwerte sich der Baron und wälzte sich im Bett herum.

„Der Champagner sitzt dir wohl in den Knochen, was?" fragte Carlo schadenfroh.

„Ruhe jetzt!" Adi Ehrlichs Stimme schnitt scharf durch das Zimmer. „Wir sind nicht zu unserem Vergnügen hier. Ich bitte jetzt um absolute Stille!"

Schweigen kehrte ein.

Mit quälender Langsamkeit verstrichen die Minuten. Das Warten zerrte an den Nerven. Nur der Kommissar hockte entspannt hinter dem Wandschirm und döste vor sich hin. Er hatte die Augen geschlossen und schien zu schlafen. In Wirklichkeit horchte er konzentriert in die Dunkelheit.

Der Zeiger auf Adis Uhr rückte auf die Zwei vor, als plötzlich leises Scharren vor dem Fenster zu vernehmen war. Etwas ratschte über das Glas.

„Sie kommen!" raunte Adi aufgeregt und stieß den Glatzkopf an.

Der Kommissar lugte hinter dem Wandschirm hervor. „Tatsächlich! Ich freß einen Besen!" murmelte er. Plötzlich hielt er seine Dienstpistole in der Hand.

„Glauben Sie uns jetzt endlich?" flüsterte Adi der Trickser triumphierend.

„Muß ich ja wohl", gab der Kommissar leise zur Antwort.

Glas klirrte. Die Einbrecher hatten ein Loch in das Fenster geschnitten. Damit das Stück Glas nicht am Boden zerschellte, hatten sie es von außen mit festem Klebeband gesichert. Eine Hand glitt nun durch die Öffnung und entriegelte das Fenster.

Im nächsten Augenblick standen die beiden Einbrecher im

„Tatsächlich! Sie kommen!
Ich freß einen Besen!"
murmelte Kommissar Klicker
und hielt plötzlich seine Dienstpistole in der Hand

Zimmer. Beide trugen schwarze Trainingsanzüge, schwarze Turnschuhe und schwarze, dünne Handschuhe, um keine Fingerabdrücke zu hinterlassen. Der eine von ihnen hielt eine bleistiftgroße Taschenlampe in der Hand.

Regungslos standen die beiden Gangster einige Sekunden vor dem Fenster. Sie wirkten in dieser Pose bedrohlich und äußerst gefährlich. Tino Tran wagte kaum zu atmen.

Der Baron dagegen atmete tief und gleichmäßig. Es war diesmal nicht geschauspielert. Er war wirklich eingeschlafen. Der viele Champagner hatte ihn ermüdet.

Die Taschenlampe leuchtete auf. Ein dünner Lichtstrahl glitt über das Parkett. Lautlos bewegten sich die Gangster auf das Bett und den Tisch daneben zu, auf dem der Aktenkoffer mit den angeblichen Diamanten lag.

Als einer von ihnen gerade nach dem Koffer griff, sprang Klicker hinter der Trennwand hervor.

„Hände hoch!" rief er mit lauter Stimme. „Polizei! Keine Bewegung! Sie sind verhaftet!"

Fassaden-Carlo hechtete verabredungsgemäß zum Lichtschalter. Der Kronleuchter flammte auf und tauchte das Zimmer in gleißendes Licht.

„Eine Falle!" schrie einer der Gangster.

Die Gebrüder Schwarz zeigten nun, daß sie aus hartem Gangsterholz geschnitzt waren. Sie dachten nicht im Traum daran, sich widerstandslos verhaften zu lassen. Geistesgegenwärtig riß der eine von ihnen die kleine Stehlampe vom Nachttisch und schleuderte sie dem Kommissar vor die Brust.

Der Glatzkopf taumelte zurück, verlor das Gleichgewicht, als er gegen den Wandschirm prallte und stürzte zu Boden. Seine Pistole entlud sich krachend. Das Geschoß klatschte in die Decke und ließ Putz herunterrieseln.

Der Baron fuhr schreiend aus dem Schlaf hoch.

In wenigen Sekunden passierte nun unglaublich viel auf einmal . . .

Tino Tran sprang hinter dem Sessel hervor und ging gleich wieder jämmerlich wimmernd zu Boden, weil seine Beine den Dienst versagten.

Die beiden Gangster stürzten zur Tür.

Fassaden-Carlo stellte sich ihnen todesmutig in den Weg. „Bodo!" brüllte er – und erhielt einen wuchtigen Schlag in die Seite.

Bodo der Bomber verzichtete darauf, die Tür ordentlich zu öffnen. Mit einem gewaltigen Tritt brach er sie auf. Das Holz splitterte. Und wie ein erzürnter Kriegsgott warf er sich auf die beiden flüchtenden Einbrecher.

„Hiergeblieben!" rief er, während seine Fäuste durch die Luft zischten. Jeder Schlag saß. Der erste Gangster wurde um seine eigene Achse gewirbelt und landete genau in Adi Ehrlichs Armen, der ihn unverzüglich in den Schwitzkasten nahm.

Der zweite Einbrecher ließ sich in einen Zweikampf mit Bodo Brocken ein. Und das bekam ihm gar nicht gut. Bodo der Bomber machte seinem Namen alle Ehre. Er durchbrach die Deckung seines Gegners mit zwei Geraden. Der Gangster wich mit verzerrtem Gesicht zurück und zog ein Messer. Die Klinge blitzte im grellen Licht.

„Das ist aber gar nicht nett!" knurrte Bodo empört. „Das ist gegen die Spielregeln!"

Bevor der Gangster zustechen konnte, hatte ihm Bodo das Messer aus der Hand geschlagen. Und bevor der Einbrecher recht begriffen hatte, wie ihm geschah, setzte Bodo ihm die Faust genau auf den Punkt.

Der Gangster seufzte auf, verdrehte die Augen und sackte bewußtlos zu Boden.

Bodo beugte sich über ihn und zählte laut: „Eins . . . zwei . . . drei . . . vier . . . fünf . . . sechs . . . sieben . . . acht . . . neun . . . Aus!" Er drehte sich lächelnd um und rief: „Aus durch K.o.!"

„Das war ausgezeichnete Arbeit, Bodo!" lobte Kommissar Nagel den Boxer und ließ die Handschellen zuklicken. „Beinahe wären uns die Burschen durch die Lappen gegangen."

„Wir waren ja zur Stelle", bemerkte der Baron stolz und strich seinen Schlafanzug zurecht.

„Gib nicht so an, du hast alles verpennt!" fuhr Blacky ihn an.

„Das ist doch jetzt nicht so wichtig", beschwichtigte Adi die Freunde. „Hauptsache, die Gangster sind festgenommen." Er wandte sich an den Kommissar. „Ich nehme an, daß wir Sie hiermit von unseren ehrlichen Absichten überzeugt haben, Kommissar. Wir planen keinen großen Coup mit dem Hotel, wie Sie anfangs befürchtet haben."

Der Kommissar blickte verlegen in die Runde, steckte sich eine neue kalte Zigarre zwischen die Zähne und räusperte sich. „Ich muß gestehen, ich wollte es nicht so recht glauben. Aber ich muß euch zu eurem Entschluß beglückwünschen und mich hiermit für eure Hilfe bedanken!" Er machte eine Pause. „Aber glaubt ja nicht, daß ich das *Park-Hotel* aus den Augen lassen werde."

Adi Ehrlich runzelte die Stirn. „Wie sollen wir das verstehen?"

Kommissar Klicker schmunzelte. „Ich habe nicht vor, in Zukunft auf Blackys exzellente Küche zu verzichten!"

Die Ganoven atmeten erleichtert auf.

„Das müßte doch eigentlich gefeiert werden!" schlug der Baron vor. „Mit Champagner natürlich!"

Alle stimmten begeistert zu.

„Für dich gibt es allerdings nur noch Mineralwasser", konnte sich Blacky nicht verkneifen zu sagen. „Dein Quantum an Champagner hast du für heute schon intus!"